LE SARI ROUGE

V. V. Ganeshananthan

LE SARI ROUGE

Roman

Traduit de l'anglais (États-Unis)
par Sylvie Schneiter

JCLattès

Titre de l'édition originale
LOVE MARRIAGE
publiée par Random House Trade Paperbacks,
un département de The Random House Publishing Group,
une division de Random House, Inc., New York

ISBN : 978-2-7096-2939-3

Pour Amma, Appa et Devan.

« Aujourd'hui, il s'agit de désigner les pièces. Hier, c'était le nettoyage. Et demain matin, nous aurons des choses à faire après le tir. Mais aujourd'hui, aujourd'hui, il s'agit de désigner les pièces. »

« La Désignation des pièces », *Leçons de guerre*, Henry Reed.

Dans cette famille sri lankaise dispersée aux quatre coins du monde, on ne parle que de deux sortes de mariage : le Mariage Arrangé et le Mariage d'Amour. En réalité, il existe toutes sortes de variantes entre ces pôles, mais la plupart d'entre nous passent des années à fuir le premier en quête du second.

Parmi ces deux catégories bien définies, il y a : le Mariage Arrangé Par Soi-Même, le Mariage Hors-Caste, le Mariage Entre Cousins, le Mariage de Village, le Mariage à l'Étranger. Sans oublier le Mariage Sans Consentement, le Mariage Sous Influence. Il arrive même qu'on épouse l'Ennemi, lequel, en fin de compte, se révèle ne pas en être un.

On ne peut découvrir la véritable histoire de sa famille. La nature de certaines unions restera cachée, on la réinventera, on changera de sujet, la musique sera réécrite. Il y a le Mariage Convenable et le Mariage Inconvenant que la famille tamoule dont il est question n'évoque qu'en murmurant.

La règle veut que toute famille commence par un mariage. L'inverse est aussi vrai.

« On n'épouse pas une personne, on épouse une famille », répète mon père à qui veut l'entendre.

Le Mariage Arrangé Par Soi-Même : l'union de mon père avec la famille de ma mère a été une telle réussite qu'il y est aussi à l'aise – si ce n'est plus – que dans la sienne. Ma mère est une Aravindran et, en remontant plus loin, une Vairavan, ce qui signifie que les membres de son clan – surtout ses frères et sœurs – sont curieux, bruyants, soudés, attachés au confort de leur foyer. Des années après avoir quitté la petite maison d'Urelu, à Jaffna, où ils avaient toujours vécu, ils se téléphonent souvent et s'écrivent de longues lettres. Ils n'oublient pas les anniversaires, les plats favoris et les offenses des uns et des autres. Ils étaient trois, ils ne sont plus que deux. Mon père aime la famille de ma mère, ses membres lui font confiance : ils ont oublié qu'ils se sont violemment opposés à lui lorsqu'il leur avait demandé la main de ma mère et ne veulent plus se souvenir que de la vie heureuse qu'elle mène dans un pays bien plus serein que celui où elle est née.

Au bout de vingt-cinq ans de vie conjugale, mes parents aiment donner l'impression que leur mariage était Arrangé. Parce qu'ils sont tous deux très Convenables. Mais leur secret est éventé : ils sont tombés amoureux. En les observant, on se rend compte qu'ils se substituent parfois l'un à l'autre. C'est ainsi qu'ils sont tombés amoureux, chacun acquérant les habitudes, les manies, les préférences, les jeux de mots de l'autre. Ils ont élevé un mur autour de leur couple dont chaque pierre est un secret qu'ils sont seuls à partager. Ils sont devenus un exemple pour ceux qui veulent Avoir l'Amour et l'Argent de l'Amour. Ils aiment faire croire qu'ils n'ont joué aucun rôle dans leur rencontre, qu'ils se sont prêtés à tous les jeux rituels et cérémonies qu'implique un Mariage Traditionnel, c'est-à-dire, un Mariage Arrangé. Il ne s'agit pas d'une idylle, affirment-ils. Cela a commencé par une présentation, une poignée de main – un salut occidental pourtant contraire aux traditions de l'Orient –, ce geste, d'une intimité étrange et sensuelle, étant le prélude à leur histoire.

Ces deux-là n'ont avoué leur secret à personne, peut-être même pas à eux-mêmes. Ils ont échangé leurs anneaux, leurs serments et leurs cœurs sans provoquer les froncements de sourcils liés aux Mariages Inconvenants.

Murali : il fut un temps où l'on croyait que le jeune homme qui deviendrait mon père ne se marierait pas. Il venait d'une famille Ariyalai, un village aux environs de Jaffna. Une famille de pauvres médecins souffrant de maladies du cœur. Celui de mon père murmurait avec insistance si bien qu'on lui prédit qu'il ne passerait pas quarante ans. « Ne t'épuise pas trop, jeune homme. » Il modéra son enthousiasme pour le sport, certain qu'une activité trop intense écourterait son existence. Il était le dernier sur le terrain de cricket, le premier hors d'haleine. Dans une famille de cinq sœurs et trois frères, tous obsédés par le Mariage (toutes catégories confondues), il décida, non sans noblesse d'âme, de ne pas se marier et de ne jamais abandonner sa mère. Avec la cruauté propre aux enfants, ses camarades de classe le surnommaient Trou-dans-le-Cœur.

Il avait trois ans lorsqu'on diagnostiqua son souffle au cœur. Depuis il faisait une radio chaque année afin de vérifier la taille de cet organe. On craignait qu'il ne fût trop gros. Cela arrivait de temps à autre aux enfants à murmure, les chuchotements de l'enfance s'aggravant en une maladie d'adulte. Un cœur hypertrophié. Plus tard, une fois médecin, il exigerait à l'improviste échographies et électrocardiogrammes. « Sondez mon cœur. S'il vous plait, vérifiez qu'il est toujours là. Le voyez-vous ? » Il était devenu un scientifique. Il voulait être certain que le sang continuait de couler dans ses veines, que ce flux ne s'interromprait pas un jour sans crier gare, comme un réveil qui se déclencherait avec des années d'avance. Il voulait avoir sous les yeux la preuve de sa propre vie. Lorsqu'il était seul, il écoutait parfois son cœur. Il allait et venait à sa guise dans les salles de radiologie, sans rendez-vous. Allongé sur le dos, sa blouse de médecin ouverte, il exposait le cœur qui l'avait trahi à l'œil des radiations. Peu importe la méthode qu'il utilisait pour explorer son corps, il repartait toujours un cliché à la main, serrant la preuve de sa mortalité entre ses doigts moites. Les genoux flageolants en raison de ce cœur défaillant.

Au fil des ans, il ne cesserait, malgré lui, d'imaginer sa propre disparition. À la manière d'un miroir qui lui renverrait le reflet de sa mort sur son visage juvénile. Il serait en train de prendre son petit déjeuner ou en route pour poster une lettre à sa mère et il s'écroulerait. Son corps s'étiolerait. Son cœur ralentirait. Le sang n'irriguerait plus son cerveau. Et il entendrait un cœur – son cœur – cesser de battre.

Il fit un rêve où on l'enterrait dans un cercueil de laque rouge, autour duquel se pressait une foule endeuillée qui chantait et brandissait des photographies de lui. Dans le rêve, il passait de main en main comme une torche. Au sein de l'immobilité absolue de la mort, il circulait, porté par des inconnus. Lorsque le cortège atteignait le pont, des fossoyeurs s'emparaient du cercueil et se mettaient à courir sous les yeux des participants qui, ne pouvant le suivre, le regardaient s'éloigner. Il glissait dans un néant indiscernable, une nébulosité. La fin.

Il se réveilla. En sueur. Transi. En tant qu'hindou, il ne sera pas enterré dans un cercueil. Il sera brûlé. Un jour, le feu trouvera son corps ; un homme de sa famille tiendra le brandon destiné à embraser le bûcher. Puis ses cendres trouveront la mer. Mais le jeune homme qu'il est ne peut se débarrasser de ce corps. Il le soutient et le retient.

Murali : il fut le premier de sa famille à se rendre aux États-Unis où la communauté médicale respectait les docteurs sri lankais, ne serait-ce que parce qu'ils étaient asiatiques. Il avait obtenu une place d'interne dans un hôpital de Nouvelle-Angleterre pour y compléter sa formation. Ce ne fut pas si facile de quitter Jaffna, l'endroit où il avait grandi. « Il est malade, dirent ses proches à sa mère, la veuve. Comment peux-tu l'envoyer au loin ? » Se sentant coupable, Tharshi, sa mère, essaya de l'empêcher de partir. Le jeune diplômé – le dernier sur le terrain de cricket et le premier hors d'haleine – n'avait auparavant jamais affiché le moindre désir. Mais soudain, il fut inflexible. Il s'en irait envers et contre tout. Sa famille eut beau s'allier à son cœur pour lui souffler sa désapprobation, il l'abandonna et partit. Son cœur récalcitrant vint avec lui.

Sa mère avait bourré sa valise de feuilles de thé qui s'échappèrent de leur emballage pendant le vol. Lorsqu'il dut franchir les douanes, l'agent ouvrit sa valise et lui demanda ce que c'était. « Du thé, seulement du thé qui s'est répandu hors de son paquet, monsieur, rien qui puisse vous offenser », répondit Murali, conscient que l'agent ne le croyait pas. Il se mit à transpirer à grosses gouttes tandis que son cœur battait la chamade. L'agent fit venir un chien qui aboya dès qu'il eut flairé la valise. Murali sortit son mouchoir de la poche de son gilet, se rendant compte que les gens le dévisageaient, lui, l'homme au teint sombre dont la valise était pleine de feuilles de thé. On ne l'avait même pas emmené dans une salle à l'arrière, c'était gênant. L'homme appela son supérieur. Celui-ci les rejoignit et examina de nouveau le passeport de Murali.

« Alors, comme ça, vous êtes médecin ? » lança le supérieur d'un ton encourageant. Murali acquiesça. « Tu te fiches de moi ? Il t'a dit que c'était du thé ? » poursuivit-il, s'adressant à son subordonné. Il porta une poignée de feuilles à son nez et les huma. « Espèce d'imbécile, tu aurais pu le sentir toi-même – c'est du thé. De l'excellent thé, même. Sri lankais, probablement. Laisse-le passer. »

Ainsi le jeune médecin arriva aux États-Unis. Il sortit dans le froid polaire – une température qu'il ignorait jusqu'à cet instant – de janvier en Nouvelle-Angleterre. Comme il contemplait l'air et la lumière, il découvrit la neige dont la beauté l'éblouit à tel point qu'il en oublia qu'il était transi jusqu'aux os. Mais son cœur protesta : *Il fait glacial. Tais-toi s'il te plaît*, le somma gentiment Murali. On lui avait répété sa vie durant que son cœur était fragile ; il l'avait vu de ses propres yeux et il était fatigué de la fatigue de son cœur. Au fond, quelle était la raison de sa fatigue ? Voulait-il l'empêcher de vivre ? Sitôt débarqué, il se précipita dans un cabinet de cardiologie.

« J'ai un problème au cœur, expliqua-t-il au cardiologue.

— Voyons cela. »

Une fois de plus, Murali entra dans l'appareil de radiologie, la chemise déboutonnée pour exposer le cœur traître qui le martyrisait depuis si longtemps. Il y eut un éclair tandis que l'œil de la machine pénétrait dans sa poitrine. Son cœur qui pompe, hurle, palpite. Il ferma les yeux. *Il fait glacial*, murmura le cœur. *Qu'est-ce que tu fiches ici ? Tais-toi*, le rembarra le jeune médecin.

On le fit sortir de la machine.

En attendant que le film soit développé, le cardiologue et Murali discutèrent comme deux collègues :

« Vous êtes interne ?

— Oui.

— D'où venez-vous ?

— D'un pays où il fait tout le temps chaud », répondit Murali, en grelottant.

Dehors, il neigeait toujours. Ils observèrent le cliché, le plaquant contre une paroi lumineuse pour examiner le dédale des veines, la forme des artères. Un saut dans l'éternité – une radiographie.

« Inspirez s'il vous plaît », demanda le cardiologue en pressant un stéthoscope froid sur le torse chétif, abri du cœur traître.

Il baissa le stéthoscope.

« Vous n'avez rien, déclara-t-il.

— Merci », dit le jeune médecin, qui n'était pas encore mon père mais le deviendrait bientôt.

Vani : il rencontra ma mère, à New York, une ville toujours pleine à craquer d'immigrants. Et son cœur gémit : *boum, boum, boum.* Ce n'était pas la maladie. Leur rencontre était prometteuse, bien qu'aucun d'eux n'ait pris le temps de se renseigner sur la configuration des étoiles ; la jeune femme avait vingt-sept ans – était-elle trop vieille pour faire une éventuelle fiancée ? – mais elle paraissait beaucoup plus jeune. Il trouva qu'elle avait un visage généreux.

Il aimait la masse lustrée de ses cheveux noirs, le trait fin de ses sourcils, son menton volontaire, sa lèvre inférieure charnue. Elle souriait la bouche fermée parce qu'elle avait honte de ses dents. À la structure de son visage, il percevait déjà la façon dont l'âge le cisèlerait, l'élégance et la sévérité que ces os saillants lui conféreraient. Il aimait la précision qu'elle déployait jusque dans les occupations les plus banales, comme arranger des fleurs d'hibiscus dans un vase, ainsi que sa réserve, son incapacité à exprimer quoi que ce soit de personnel en public. Il en déduisait qu'elle devait avoir de nombreux secrets qu'il avait envie de connaître. Elle n'élevait jamais la voix, mais elle ne parlait pas doucement non plus. « Comment allez-vous ? C'est un sari magnifique. Comment vont les enfants ? Ce riz est délicieux. » Comme lui, elle aimait les plats chauds et épicés. Elle confectionnait ses vêtements, veillant tard dans la nuit, le pied sur la pédale d'une machine à coudre Singer qui avait appartenu à sa mère et qui avait traversé l'océan avec elle. Ses robes courtes, au goût du jour, seyaient à sa minceur qui rappelait à Murali un arbre en fleur près de chez lui, à Jaffna. Il ne l'entendit jamais reconnaître qu'elle avait tort ; elle s'en défendait avec un entêtement si candide qu'il en était ému. Dans une salle pleine de Sri lankais bruyants il apprit à repérer le tintement cristallin de ses bracelets.

Le veuvage de sa mère et la mort foudroyante de son père cessèrent soudain de le ronger. On aurait dit qu'un courant invisible les poussait l'un vers l'autre. Murali s'était-il arrangé pour qu'on lui présente Vani ou était-ce l'inverse ? Personne en dehors d'eux ne s'en souvient, et aucun d'eux n'avouera sa part de responsabilité. Ce fut pourtant simple : un ami de Murali remarqua qu'ils étaient voisins. Peut-être Murali pouvait-il reconduire Vani chez elle ? Oui, oui, opinèrent-ils. Ils quittèrent la fête trop vite pour saluer tout le monde et les rires de leurs amis comblèrent le vide laissé par leur départ.

Il la ramena à Brooklyn où une famille l'hébergeait. Pendant le trajet, ils gardèrent le silence, un silence étrange et confortable entre deux personnes qui attendaient ce tête-à-tête depuis bien longtemps.

La voiture était si vieille que le moteur faisait un bruit terrible. Après avoir tourné au coin de la rue, il se gara sur le côté et coupa le contact. Le calme qui s'ensuivit fut aussi assourdissant que l'avait été le moteur. Il l'accompagna jusqu'à la porte. Elle le remercia sans l'inviter à prendre une tasse de café car elle ne logeait pas chez elle, mais ils savaient tous les deux qu'il avait fait un détour pour elle. Oubliant qu'elle avait honte de ses dents, elle les lui montra ; pour une fois son sourire ne fut pas timide. Elle le regarda s'en aller et agita la main derrière la fenêtre, un geste que les Aravindran font toujours pour se dire au revoir.

Les vieux Sri Lankais qui vivaient à New York ne demandaient pas mieux que de jouer le rôle de parents pour le couple. Vani était Convenable : intelligente, polie, bonne cuisinière et charmante. Elle avait un métier. Mais surtout elle possédait une qualité qui ne s'acquiert pas : la grâce. Murali, lui, était leur jeune médecin sans famille, leur célibataire préféré. Ils l'accueillaient à bras ouverts. Le couvraient d'éloges. Le nourrissaient de currys. Les amis peuvent arranger un mariage aussi bien que les parents, se rengorgeaient-ils. On organisa des rendez-vous dans des lieux qui semblaient conspirer à la réunion des jeunes gens. Un jour, l'un des aînés fit une suggestion, dont le couple ne tarda pas à parler. Franchement.

C'était un *faux pas*. Auquel ni l'un ni l'autre n'attachèrent d'importance.

À des océans de là, les familles étaient furieuses. Comme on pouvait s'y attendre, l'orage se dissipa vite dans celle de Murali. En revanche, celle de Vani faillit ne pas donner son consentement : soucieux du respect des convenances, ses membres s'interrogeaient sur les intentions de Murali, son manquement à observer certaines formalités, son ascendance, ses habitudes et son tempérament. Il eut vent de leurs réticences et, se tournant vers Vani, posa sur elle des yeux interrogateurs.

« Ils ne savent rien sur toi, moi si, affirma-t-elle.

— En es-tu sûre ? insista-t-il, sous-entendant que sa famille pourrait ne jamais lui pardonner son choix.

— Certaine. »

À des milliers de kilomètres de là, le frère de Vani, Kumaran, se précipita chez le frère de Murali en vociférant : « Qui est ce médecin qui veut épouser ma sœur ? Qui est ce médecin qui est amoureux de ma sœur ? »

Quel culot ce Murali, pensèrent-ils. Amoureux ? Ce n'était pas une expression qu'ils avaient coutume d'utiliser.

La cérémonie fut modeste. Murali, qui s'approchait de plus en plus du moment où il deviendrait mon père, édifia l'autel traditionnel de ses blanches mains. Il loua une salle. Il embaucha les aînés pour aider à la préparation du repas et à l'organisation de la cérémonie. En l'absence des membres de la famille éparpillés aux quatre coins du monde, en présence des amis rassemblés à New York, le Mariage fut Arrangé.

Il existe une photo où Vani a l'air particulièrement jeune, intimidée et Convenable, dans son sari de mariage rouge tandis que son mari porte un toast. La joie de Vani est voilée, son sourire subtil, afin que personne ne puisse les percevoir trop distinctement. Je n'aurais jamais cru que je me marierais ici, disait son cœur à celui de son époux. Je n'aurais jamais cru te trouver ici.

Personne n'entendit, comme il convient. Sauf...

Boum, boum boum, répondit le cœur du médecin, enchanté de son succès.

Ce n'est pas ainsi qu'ils présentent les choses. Ils affirment avoir scrupuleusement respecté la tradition et les conventions. Et la famille de Vani prétend avoir toujours aimé Murali. Pourtant, c'est bien Kumaran, le frère de Vani, qui a défoncé une porte en vociférant contre ce mariage. Ce qu'on sait des origines d'un conflit dépend, comme tout le reste, du souvenir qu'on en a ou de celui qu'on vous impose. Pour Vani, indépendamment de ce que Murali lui avait raconté et de ce qu'il ne lui avait pas raconté, le conflit commença lorsque son frère Kumaran, le membre de sa famille dont elle se sentait la plus proche, envoya une lettre à mon père où il le sommait de ne pas épouser sa sœur. Des années plus tard, c'est lui qui initia la fille de Vani à une guerre et à un pays dont sa mère l'avait préservée jusqu'alors.

Il y a le Mariage Convenable. Il y a le Mariage Inconvenant.

Aujourd'hui encore, mes parents s'aiment plus qu'ils ne l'avoueront jamais. Quelle que soit la version de l'histoire, quel que soit le ton sur lequel on la murmure, Vani et Murali se marièrent et devinrent, enfin, mes parents. Je vous ai parlé du pays qu'ils ont quitté. Qu'en sais-je ? Je ne suis pas la fin de l'histoire de mes parents. Je suis celle qui la raconte

Je suis Yalini, leur fille. En juillet 1983, je naquis dans cette Nouvelle-Angleterre qui avait accueilli mes parents, Vani et Murali, des années auparavant. Ils m'espéraient depuis longtemps. Je vins au monde en braillant comme il se doit. À ma naissance, Murali tenait les épaules de Vani. Je suis née avec la jaunisse. Mes cheveux étaient brillants comme ceux de Vani et ondulés comme ceux de Murali. Rassemblées autour de ma mère en nage, les infirmières assurèrent qu'elles n'avaient jamais vu de nouveau-né doté d'une telle tignasse. J'arrivai dans un lieu où on m'attendait avec impatience. Mes parents, qui ignoraient quel serait mon sexe, avaient aménagé une pièce à mon intention. Lorsque Vani perdit les eaux, Murali la conduisit à l'hôpital et annonça que la chambre de son enfant avait déjà été peinte en rose. L'instant d'après, la sage femme répondit qu'il n'aurait pas à la repeindre : c'était bien une fille. À peine m'eut-on emmaillotée dans des couvertures qu'on me fourra dans les bras de mon père. Je me cramponnai immédiatement à son cœur avec mes deux poings minuscules.

Je naquis au petit matin, un jour de la fin juillet. Et tandis que j'entrais dans ce nouveau monde, celui de mes parents, l'ancien, était saccagé.

Juillet Noir[1]. Plus de vingt ans après, n'importe quel Tamoul du Sri Lanka sait ce que cette date représente. Au moment de ma naissance, des Tamouls mouraient de l'autre côté du globe, trahis par leur propre pays qui ne fit rien pour les sauver.

Murali était dans la chambre d'hôpital avec Vani et moi lorsqu'un médecin plus jeune que lui vint le chercher.

« Il se passe quelque chose, docteur. Je crois que ça vous concerne. »

Comme Murali s'apprêtait à allumer la télévision, son collègue jeta un coup d'œil à Vani et secoua discrètement la tête. « Pourquoi ne pas m'accompagner ? » suggéra-t-il.

Murali, qui perçut l'inquiétude de l'homme, nous laissa et le suivit dans le long couloir bleu de l'hôpital jusqu'à une grande salle d'attente où la

1. 23 juillet 1983, représailles du gouvernement contre la communauté tamoule, déclenchées par une attaque des Tigres contre l'armée.

télévision était déjà allumée. Assis autour du poste, les collègues de mon père l'attendaient pour le féliciter, l'interroger au sujet du prénom et du poids du bébé mais ils restèrent silencieux. Au lieu de lui serrer chaleureusement la main, ils l'observèrent tandis qu'il regardait la télévision.

Sur l'écran, mon père voyait brûler tout ce en quoi il avait cru. À l'autre bout du monde, dans le pays qu'il préférait à tout autre, on assassinait des gens parce qu'ils étaient tamouls. Les images montraient des émeutes dans les rues de Colombo, la capitale du Sri Lanka, où des membres de la majorité cinghalaise se liguaient contre leurs concitoyens tamouls. Les informations montraient des civils battus, dépouillés, tués ; leurs propriétés saisies et dévastées. Le gouvernement n'avait rien tenté pour les défendre. Mon père regardait et comprenait que les lois qui régissaient son existence n'étaient qu'un château de cartes.

Cloué sur place, Murali pensait à ses camarades de classe, à ses amis, à ses vieux voisins du village dont certains se trouvaient sûrement à Colombo. Plus tard, il entendrait parler de ces hommes qui arrêtaient les véhicules dans la rue à la recherche de Tamouls. Plus tard, il entendrait dire que ceux qu'on avait découverts avaient été poignardés ou brûlés vifs. Plus tard, il comprendrait que les autorités avaient fourni des listes d'électeurs révélant leurs appartenances ethniques à des bandes enragées qui avaient ainsi pu traquer leurs voisins, leurs collègues et leurs camarades tamouls. Plus tard, il apprendrait par la presse l'inconséquence des autorités qui n'avaient décrété et fait respecter aucun couvre-feu. Plus tard, les gens discuteraient émigration, droit d'asile, dégâts matériels, nombre de victimes. Plus tard, il pleurerait ceux parmi ses amis qui avaient été attaqués.

Des groupes séparatistes tamouls forts d'une puissance toute neuve émergeraient des cendres de ces émeutes, leurs rangs grossis par les jeunes gens dont les familles avaient été frappées en 1983 ou avant. Ces jeunes n'avaient aucune raison de faire confiance au Sri Lanka, ils ne pouvaient que prendre les armes et devenir des rebelles qui se battraient des années pour l'indépendance des Tamouls. Un groupe particulièrement efficace : *The Liberation Tigers of Tamil Eelam*, les Tigres, surgirait de ce marasme. Ses membres se feraient sauter pour en faire sauter d'autres, visant les symboles et les personnalités de l'État. Ils avaleraient des capsules de cyanure pour éviter l'emprisonnement. Ils tueraient des Tamouls qui ne partageaient pas leurs convictions – d'autres rebelles, des politiciens, et même des civils. Ils combattraient un gouvernement qui bombardait, affamait et torturait ses citoyens. Ils renonceraient à leurs familles et intégreraient femmes et enfants à leur mouvement.

On les appellerait des terroristes. Ce serait l'avènement d'un monde où personne n'aurait raison.

À cet instant Murali avait beau ignorer tout cela, il prit conscience qu'il avait quitté le Sri Lanka pour toujours. Il n'y prendrait pas sa retraite, n'y vieillirait pas, n'y mourrait pas. Peut-être y retournerait-il pour une visite d'un mois ou deux mais il ne pourrait plus y vivre et ça il ne l'avait jamais imaginé.

Il était père à présent. Embrassant ses collègues du regard, il se rendit compte de sa solitude dans cette pièce remplie d'amis. Malgré la compassion qui se lisait sur leurs visages, ils ne le comprenaient pas et ne le comprendraient jamais.

Mes parents m'appelèrent Yalini. Un prénom tamoul qui signifie en partie Jaffna, Sri Lanka, leur pays natal. Au Sri Lanka, les enfants ne quittent pas leurs parents. Ils suivent leur exemple sans protester et assument de bonne grâce leurs responsabilités. Même ceux qui deviennent rebelles ont hérité des luttes de leurs parents datant de l'époque de l'indépendance, avant 1983.

Pourtant j'ai grandi et quitté la maison de mes parents. J'ai grandi et je suis partie pour l'université, loin d'eux. Là, j'ai laissé mon travail me prendre tout mon temps. J'appelais mes parents épisodiquement, à mes heures perdues, entre l'étude et les cours, entre les cours et les repas ou entre le moment où je me couchais et celui où je m'endormais. J'ai grandi, je suis allée à l'école, j'ai quitté mes parents. Je me suis éloignée de leur foyer ravagé par la guerre bien qu'il se trouve dans un pays où règne la paix.

Loin d'eux, je devins plus que jamais semblable à eux. Car, tout américaine que je fusse, j'étais aussi la seule Sri Lankaise. Aussi seule que l'avait été ma mère la première fois qu'elle avait emprunté un escalator à New York ; aussi seule que l'avait été mon père à l'intérieur de l'appareil de radiologie avant sa rencontre avec ma mère.

Tout dans ce lieu – si loin de la maison que mes parents avaient construite pour moi – semblait vieux et insignifiant. Comme anesthésiée, je ne ressentis pas la joie que mes parents avaient éprouvée lorsqu'ils avaient pris leur indépendance. Au terme d'un interminable périple, mes yeux las ne furent pas sensibles à la nouveauté. M'aurait-on rencontrée et demandé ce que je regrettais, je n'aurais su que répondre.

À l'université, la présence des autres étudiants ne faisait qu'accentuer mon sentiment de solitude. Deux semaines après mon arrivée, en automne 2001, des terroristes attaquaient le pays d'adoption de mes parents, le pays où j'étais née et que j'aimais. Tout s'écroulait, là où nous croyions que c'était inconcevable. La guerre m'obsédait depuis toujours et à présent, elle obsédait tout le monde. Lorsque je me rendis enfin à l'aéroport pour passer mes premières vacances à la maison, l'expression de l'agent de sécurité me rappela l'histoire de mon père, ses feuilles de thé éparses et les chiens qui aboyaient contre lui. On me dévisageait, du moins l'imaginais-je. Comme je pensais au jeune homme candide qu'avait été mon père, une joie étrange et glaciale m'envahit à l'idée que j'étais une femme, comme si c'était une protection alors que cela rendait ma vie plus dangereuse à bien des égards.

À peine descendue de l'avion, je pris mon père par les épaules et l'embrassai. Il me parut plus petit qu'à l'ordinaire. Moi-même, je me sentis plus petite.

Je n'étais pas heureuse à l'université, mais mon manque d'entrain n'avait rien à voir avec le lieu : c'était en moi qu'il fallait chercher les causes de ce mal. Bien sûr, je retournai en cours. Peut-être parce que je me sentais obligée, en tant que Sri Lankaise, d'endurer ma souffrance sans la nommer. Si le monde autour de moi n'avait pas été aussi désespéré, j'aurais sans doute pris conscience de mon mal-être plus tôt.

Durant les lugubres semaines qui suivirent l'événement, le monde parut d'un coup plus dangereux et plus accueillant à la fois. Il faisait froid, bien que ce ne fût pas encore l'hiver. L'herbe encore verte semblait se recroqueviller comme en prévision de la neige. Des gens qui ne se seraient jamais adressé la parole auparavant se regardaient dans le blanc des yeux avec ce qu'ils croyaient être de l'honnêteté. À mon sens, ce n'était qu'une imposture, un intermède. Les gens ne s'intéressaient pas les uns aux autres à ce point. J'étais certaine qu'ils reprendraient bientôt leurs habitudes d'indifférence comme si rien ne s'était passé. Des étudiants qui vivaient avec moi se rassemblaient pour parler de l'actualité mais je ne me joignais pas à eux – cela ne menait nulle part. Je recherchais la solitude. J'avais envie de lire. Lorsque nos professeurs annulaient leurs conférences ou leurs cours, j'allais travailler à la bibliothèque.

J'aimais m'installer à une table bien particulière, longue et sombre. Mon père m'avait appris à vénérer les bibliothèques. Il m'avait transmis cet amour en me décrivant celle de Jaffna, celle de son enfance, qui avait été brûlée en 1981, deux ans avant ma naissance, sous les yeux de membres du gouvernement qui n'avaient pas levé le petit doigt. Parcourant du regard celle de l'université américaine où je me trouvais, je repérai l'emplacement des détecteurs de fumée et des extincteurs. Du personnel de sécurité se tenait à chaque issue, elle était bien gardée à défaut d'être appréciée à sa juste valeur. À Jaffna, de nombreux manuscrits irremplaçables parce qu'uniques avaient été réduits en cendres. Enfant, chaque fois que j'entrais dans une bibliothèque, je m'imaginais la scène – des hommes hilares en uniformes, armés de torches, d'essence et de pistolets ; chaque étagère s'effondrait et s'enfonçait dans celle d'en dessous ; le bois noircissait et le métal fondait ; la couverture d'un livre effleurait celle du volume d'à côté qu'elle léchait à peine en un jaillissement d'étincelles.

Rien ne brûlerait ici. À cette époque, la bibliothèque de l'université était presque déserte. Personne d'autre que moi ne s'y asseyait à cause de la dureté des chaises, qui moi me convenaient parce qu'elles empêchaient de s'endormir et aidaient à se concentrer. Chaque jour, après le petit déjeuner, avant d'aller en cours, je m'installais à cette table entourée d'étagères où s'alignaient des livres intacts et poussiéreux, éclairée par une étroite fenêtre qui la surplombait. Il n'y avait pas un chat dans ce coin de la bibliothèque car le contenu des ouvrages qui s'y trouvaient n'intéressait plus personne. Parfois, lorsque j'étais très fatiguée, je posais ma tête sur le rebord de la table pour me délasser. Quelques minutes suffisaient pour que l'angle me forçât à me redresser. Si on m'avait demandé ce que j'étudiais alors, j'aurais été incapable de répondre.

Un matin où, dans cette position, je m'apprêtais à fermer les yeux quelques instants, on m'effleura l'épaule. Un grand garçon très pâle me tendait un livre. Ses cheveux, si bruns qu'ils semblaient noirs, auraient eu besoin d'une bonne coupe. Son visage, ouvert, aux traits fins, semblait plus jeune que le mien.

« J'ai trouvé ça à la bibliothèque hier, dit-il. Je crois qu'il y a ton nom dedans. Yalini, c'est toi, non ? »

Je le regardai en clignant des yeux. Un peu plus grand que mon père, il mesurait peut-être un mètre quatre-vingt-cinq. Il avait une bouche ferme, mais généreuse. Je repris le livre sans toucher sa main. C'était un cahier relié en cuir comme on en trouve dans les grandes librairies – un cadeau de mon père. Machinalement, j'enlevai l'élastique qui le maintenait fermé et le feuilletai. Les pages étaient blanches. Je n'avais rien écrit. Je l'avais oublié à la bibliothèque sans m'en apercevoir parce que ce n'était pas encore important pour moi de consigner les choses par écrit.

« Il est vierge, fit-il observer.

— Merci. Je l'ai oublié sans m'en rendre compte.

— Je ne l'ai pas ouvert, précisa-t-il, je t'ai vue t'en aller sans le prendre. »

Au regard qu'il me lança, je crus qu'il était sur le point de partir mais il ne bougea pas. Je me retournai vers la table si bien qu'il ne voyait plus que mes épaules. Au lieu de s'en aller, il fit le tour de la table et s'assit en face de moi comme si nous allions poursuivre la conversation.

C'était la première fois que je rencontrais quelqu'un qui avait décidé d'être mon ami sans que je l'y autorise.

Il avait décidé que nous serions amis. Au cours de cette période interminable et creuse où chacun traitait son voisin sur un faux pied d'égalité, cela comptait pour moi et je ne voulais pas décourager sa générosité opiniâtre. Notre amitié dura trois ans. Puis, au cours de l'hiver 2004, je rentrai chez mes parents pour les vacances.

Le lendemain de Noël, comme nous nous apprêtions à sortir, le téléphone sonna. Ma mère rebroussa chemin pour décrocher. C'était Kalyani, sa sœur.

« Ah… Entendu. Je te rappellerai plus tard. » Et ma mère raccrocha.

« Qu'est-ce qu'elle a dit ? demandai-je.

— Quelque chose à propos de l'eau au Sri Lanka. Il se passe quelque chose de grave. Mais sortons. »

Il arrivait en permanence des événements graves. Plus tard, je pris conscience du degré d'épuisement de ma mère, de la lassitude qu'elle devait éprouver à force de recevoir sans cesse des nouvelles du front. Pendant des années, elle s'était entraînée à les éviter. À moins que sa sœur, par gentillesse, ne lui ait pas donné assez de détails pour qu'elle comprenne de quoi il s'agissait. Aucun de nous n'avait encore prononcé le mot de tsunami. Aucun n'en connaissait la signification.

Nous sortîmes et nous nous retrouvâmes sous le soleil hivernal.

Lorsque notre voiture atteignit le premier virage, les membres de ma famille en Australie avaient téléphoné à ceux de ma famille en Allemagne qui avaient joint ceux de ma famille installés en France qui s'étaient empressés d'appeler ceux qui résidaient en Angleterre et au Canada. Ces derniers rappelèrent. Le téléphone sonna dans la maison vide. Regardez les informations, disaient-ils sur le répondeur. La terre avait remué et l'océan s'ébranlait après elle. L'eau s'abattait sur les demeures du Sri Lanka, déferlait sur les champs, les arbres, les temples, s'élançait jusqu'au ciel.

Les jours qui suivirent, je ne répondis pas au télé-phone. Comme à l'automne de la première catas-trophe, trois ans plus tôt, je refusais de décrocher pour recueillir les témoignages d'un émoi dont je savais qu'il était passager. Mon ami téléphona, je ne répondis pas. Il appela à la maison et, quand ma mère me transmit son message, je secouai la tête. L'idée de sa voix compatissante m'était insoutena-ble. La télévision montrait des cadavres. Au début, nous ne savions pas s'il y avait eu des victimes parmi les membres de notre famille, puis nous apprîmes que l'un d'eux s'était rendu au temple où il s'était noyé dans un tourbillon d'eau et de dieux. Ne l'ayant jamais rencontré, je ne me sentis pas le droit d'être en colère. Les yeux secs, je restais assise devant les informations – il était question de la guerre, de la nôtre, on aurait cru qu'elle venait de commencer. Chers Américains, la guerre fait rage dans ce pays depuis des décennies. J'entendis mon père dire avec amertume qu'au moins, à compter de ce jour, les gens sauraient situer le Sri Lanka sur une carte.

Je n'étais pas bavarde. Je ne souhaitais pas parler à mon ami parce qu'il me semblait trop loin, trop extérieur à tout cela. J'avais l'impression qu'il était à des lieues de ce qui me manquait. On apprenait tout juste ce qu'était la guerre dans son pays tandis que moi, j'avais grandi avec la guerre sans en avoir conscience et sans être capable d'en parler avec qui que ce soit, même avec mes parents, les êtres que je chérissais le plus au monde. J'avais eu la chance de naître en dehors du champ de bataille, mais je ne pouvais l'oublier. Mon ami et moi avions beau avoir grandi tous les deux en Amérique, dans des foyers qu'au pays de mes parents on considérerait comme riches, nous venions de deux univers différents. Il y avait un fossé entre nous. Il aurait fallu, pour le franchir, un courage qu'alors, la tête pleine d'eau, je n'avais pas. J'étais désolée que cette différence puisse nous séparer et pourtant j'étais trop lasse pour la surmonter. Sans me demander mon avis, il avait décidé que nous serions amis. Sans lui demander son avis, je coupai les ponts.

Après avoir rompu tout contact avec lui, je l'oubliai. Ces corps dans l'eau et, davantage encore, ceux qui avaient été engloutis avant eux m'obsédaient.

En fin de compte, j'avais envie de faire médecine. Mon père s'en était servi comme d'un passeport pour quitter le Sri Lanka, moi, je m'en servirais pour y entrer. Hélas, c'était impossible. J'allai voir mon père :

« Il faut que je parte là-bas. »

Il me regarda :

« Tu veux ma mort ?

— Je ne veux pas retourner à la fac. Pas maintenant. »

Si les corps et leurs formes multiples me fascinaient depuis toujours – leur inépuisable variété et leurs similitudes, la mécanique parfaite de chaque membre et chaque tendon – ce que j'éprouvais était différent. Je voulais trouver là-bas des jeunes qui me ressembleraient. J'avais rejeté mes amis américains parce que leur sollicitude me paraissait factice, mais j'étais tout aussi coupable. Je n'aurais pas dû trouver ce prétexte pour justifier ma vocation. À vrai dire, je voulais devenir médecin depuis longtemps. L'ironie de la situation, c'était que le

Sri Lanka, à cause de la catastrophe naturelle, était devenu un pays relativement sûr. Pour un temps du moins. Quoi qu'il en fût, mon père ne supportait pas cette idée. Il ne croyait pas que Dieu lui-même, du fond de son courroux, ait pu entrouvrir une telle fenêtre de paix. Me préciser que l'accalmie ne durerait pas fut superflu, il se contenta de me dire : « Tu peux venir travailler avec moi. »

Les patients de mon père étaient des enfants atteints du cancer, certains avaient des têtes si petites qu'elles tenaient dans le creux de ma main. J'avais encore la guerre en tête quand j'entrai à l'hôpital si bien que je ne les vis pas vraiment. J'imaginais la réaction de mon ami mais je ne regrettais pas d'avoir coupé les ponts. Il lui aurait suffi d'un coup d'œil pour comprendre que j'étais ailleurs. Pendant une année, je dérivai dans l'océan morose de mes pensées, ailleurs, au gré d'un courant que gonflait une autre tempête. Même sur cette petite planète d'enfants à l'agonie, je ne ressentais rien d'autre que la nécessité de maintenir ma tête hors de l'eau.

Sans doute ai-je affirmé le contraire à un moment donné, il n'en reste pas moins que ma mère n'était responsable de rien. Vani était née avec la grâce qu'il me restait à acquérir. Aussi l'ai-je prise comme modèle. Ma mère ne montre pas sa peur parce que cela reviendrait à lui accorder de l'importance ; elle ne laisse pas transparaître sa colère, sachant qu'il y a toujours un retour de bâton ; elle fait toujours passer nos besoins avant les siens sans en avoir l'air, comme sa mère, sa grand-mère, son arrière-grand-mère avant elle. Consciente de ma vulnérabilité pour la première fois de ma vie, je voulais m'approprier ce masque. Si c'était la pureté de son visage qui avait frappé mon père autrefois, moi j'étais impressionnée par son impénétrabilité.

Ainsi, sa voix ne révéla rien lors du coup de fil qu'elle me donna en août 2005. C'était la semaine qui précédait le début des cours, je m'étais enfin décidée à quitter l'hôpital de mon père pour rejoindre le campus et achever mon cycle d'études comme je le lui avais promis. Je me tenais debout dans ma chambre, entourée de valises, de caisses et de livres lorsque la sonnerie du téléphone, couvert de poussière, retentit. Je tendis le bras pour décrocher. C'était ma mère : « Achète un billet d'avion et rejoins-nous à Toronto. »

Ce n'est pas son genre de demander quoi que ce soit or, pour je ne sais quelle raison, ni son injonction ni le « oui » qui sortit de ma bouche, voyagea le long des câbles et parcourut les milliers de kilomètres qui nous séparaient, ne m'étonnèrent. Ma mère veille à rester impassible mais ce serait une erreur d'en conclure qu'elle n'éprouve pas d'émotions. Elle ne m'a pas appris à ne rien ressentir, je m'y suis entraînée toute seule.

À une époque, il était possible de garder l'anonymat dans un aéroport ; mes parents sont passés par plusieurs d'entre eux pour arriver ici. Je trouve l'avion bien plus romanesque que le bateau, avec ses réacteurs, ses ailes et l'immensité du paysage qui s'étire sous les yeux d'un passager. En touchant terre, l'avion pénètre un nouvel espace, un espace sans frontière. Dans les terminaux des grandes villes de ce monde, nos passeports ne nous limitent pas à nos nationalités. Des gens de tous bords s'y croisent librement. Nous ne sommes pas imposables. Nous débarquons, nous réembarquons. Nous récupérons les débris de nos vies – nos bagages – sur des tapis roulants. Nous pressentons joies et souffrances à venir, arrivées et départs. C'est encore vrai aujourd'hui en dépit de la surveillance accrue des frontières mise en place par les pays pour se protéger des ennemis, des bombes, de la menace représentée par des individus qui ressemblent à mon père, mon frère, mon oncle et mes cousins. Bref, la vie est palpitante dans les aéroports.

Ma mère m'avait demandé de la rejoindre dans un aéroport. Elle m'avait précisé le billet à acheter, l'heure à laquelle arriver, les vêtements à emporter. Plantée devant le carrousel dans le gigantesque hall gris des arrivées, j'attendais à l'endroit qu'elle m'avait indiqué, me balançant d'un pied sur l'autre avec une impatience que j'avais du mal à réfréner. Comme j'aimais voyager sans bagages, je n'avais pas de sac à récupérer. Le tapis commença à rouler sur ma droite et, au même instant, une jeune fille entra par la gauche dans mon champ de vision.

Elle était belle. Elle me ressemblait sans me ressembler. Elle était plus élancée et plus pâle que moi : en effet sous l'éclairage brutal, son teint était plus éclatant que le mien. Elle avait à peu près mon âge. Ses traits délicats et réguliers rappelaient ceux de ma mère – les sourcils clairsemés, la lèvre inférieure charnue, le menton pointu. Les lèvres pincées pour éviter de sourire, elle n'avait pas l'air malheureuse. Un jour, mon père avait regardé Vani et vu le visage qu'elle aurait plus tard ; celui de cette jeune fille était semblable à celui de ma mère à ceci près que son avenir n'y était pas inscrit comme si elle ne croyait pas qu'il puisse en exister un.

Janani : c'était ma cousine, je ne le savais pas encore. Elle ressemblait à ma mère et à son père, ce que je ne savais pas davantage. Je la vis avant d'apercevoir son père parce qu'il était dans un fauteuil roulant et, bien qu'il fût grand même assis, ses yeux ne croisèrent pas tout de suite les miens. Il me remarqua avant que je ne le voie et me reconnut. Plus tard, il me confiera avoir regretté, dès cet instant, ce qu'il avait fait des dizaines d'années plus tôt et avoir compris que son comportement passé aurait pu conduire à ce que je ne sois pas devant lui ce jour-là.

Janani, qui le poussait dans son fauteuil roulant, pénétra dans mon champ de vision. Contrairement à moi, mon oncle m'identifia tout de suite et ressentit le désir de me fournir des explications.

J'ai choisi de connaître toutes les facettes et tous les mystères de cette histoire. Il n'en reste pas moins qu'un être est d'abord venu vers moi pour me proposer de me la raconter.

À peine l'eus-je aperçu que ma bouche s'entrouvrit, et que je manifestais ma stupéfaction, sans un mot. Plutôt sur mes gardes, en digne fille de ma mère.

Il murmura quelque chose par-dessus son épaule à Janani, qui immobilisa le fauteuil à quelques pas de moi. Se tournant de mon côté, elle suivit la direction du doigt diaphane de son père et croisa mon regard.

« Tu dois être Yalini », dit-elle en tamoul.

À défaut de parler tamoul, je le comprends mais avant que je ne puisse proférer la moindre parole, il fit quelque chose de sidérant : il se leva du fauteuil roulant et s'avança. J'émis un son comme pour l'en empêcher, trop tard ; il parcourut, très lentement, les quelques pas qui nous séparaient tandis que je m'étonnais que Janani n'intervienne pas. Ses larges et impressionnantes épaules tremblaient, il paraissait à peine tenir sur ses jambes, pourtant il se dressa devant moi de toute sa taille. Il était plus grand que moi, plus grand que mon

père. Contrairement à sa fille, il lui restait des forces. Pendant tout ce temps, il avait préservé quelque chose pour moi, et il venait d'en prendre
conscience.

Kumaran : mon oncle. Il avait cessé depuis long-temps de défoncer des portes et d'écrire des lettres pour empêcher un mariage. Et la guerre, c'était terminé pour lui – ce que je ne savais pas encore. Bien sûr, je savais qui il était, même si je ne l'avais jamais rencontré puisqu'il avait disparu pendant de longues années.

Il était vraiment très grand. Son crâne pâle luisait à travers ses cheveux trop fins qui se clairsemaient non à cause de l'âge, mais de la maladie. Les yeux enfoncés dans leurs orbites et cernés de veinules bleutées, l'air mortellement fatigué, il avait les traits fins, c'était une caractéristique de la famille de ma mère. Toujours debout, il chancela, et je tendis ins-tinctivement la main pour l'aider à retrouver l'équi-libre. La peau de son poignet décharné était parcheminée. Ses yeux froids évoquaient les mon-tagnes juste avant le dégel. Les gerçures de ses lèvres provoquées par la sécheresse de l'air en avion commençaient à cicatriser. Malgré ses efforts, il ne se tenait pas aussi droit qu'il l'aurait souhaité mais il était possible d'imaginer la position qu'il tentait d'adopter, que je qualifierai plus tard de militaire plutôt que militante. Il ne pouvait s'empêcher de s'incliner légèrement de côté comme s'il avait une blessure mal soignée. C'était le cas. Là encore, je ne l'apprendrais que beaucoup plus tard. La sueur perlait à la racine de ses cheveux tant il se donnait du mal pour rester debout. Je compris enfin où il avait dû être pendant toutes ces années, pourquoi je ne l'avais jamais rencontré. En une seconde, je comblai les failles de mon passé et pris conscience que j'avais toujours su où il se trouvait et qu'il était un Tigre. Et ce malgré le silence de mon entourage qui ne m'avait d'ailleurs pas plus expliqué la raison de sa venue. Je l'avais devinée. Il était là pour mourir. Non au combat ni pour une cause, mais par effet d'un caprice de la nature.

Sa fille avait rapproché le fauteuil roulant et il s'y laissa retomber sans un coup d'œil. La main toujours sur son poignet, j'hésitai. Soudain, mes parents furent là. Je ne les avais pas vus arriver. Lorsque j'appris après coup ce qui s'était passé entre eux, lorsque j'appris qu'un cancer le dévorait, une image me revint à l'esprit : ma mère suivie de mon père. Quelle forme avait la bouche de ce dernier ? Avait-il fulminé sous le regard scrutateur de ma mère ou était-il déjà trop tard pour la colère ? Est-on pardonné de tout à la veille de sa mort ?

Mon père m'avait paru très sombre, j'avais eu l'impression de le voir avec les yeux d'une autre. Il poussait un chariot vide. Ma mère, qui le précédait, se pencha pour embrasser son frère. Bien qu'elle fût en larmes, elle perçut la frustration qu'il éprouvait de ne pouvoir se remettre debout. Je ne l'avais jamais vue pleurer. Je faillis l'imiter – davantage par peur que par tristesse – saisie d'une compassion soudaine qui me fit l'effet d'être étrangère à moi. Plus tard, mon père me raconta qu'avant ma naissance, il l'avait emmenée voir sa mère, qui habitait en Angleterre, dont elle était séparée depuis des années. Et dès qu'il avait ouvert la porte du logement de sa belle-mère, sa femme avait fondu en larmes de la même façon comme si tout lui revenait en mémoire pour la première fois.

À présent, comme à l'époque, il ne savait comment réagir. Son regard navigua du chariot à Janani.

« Nous n'avons rien apporté, dit celle-ci.

— Rien ? » s'étonna mon père qui répéta comme si c'était vraiment incroyable :

« Rien ?

— Rien », confirma-t-elle.

Même le fauteuil roulant, indispensable pour mon oncle qui le rejetait, ne leur appartenait pas. Nous le laissâmes à l'aéroport dont nous sortîmes lentement. En route vers une nouvelle vie.

Kumaran : il vint à nous sans quoi que ce fût d'autre que les conditions implicites posées par le mouvement des Tigres, auquel il appartenait. Ils avaient autorisé son départ alors qu'il était de notoriété publique qu'ils ne laissaient partir personne. Rebelle sa vie durant, il était à l'agonie et il avait une fille. Un jour, les Tigres lui avaient dit : Rejoins-nous, nous sommes ta famille. Quitte ton village natal pour le défendre. Puis ils cessèrent d'être sa famille et lui permirent de s'en aller à condition qu'il ne les trahisse pas et soit le garant de notre loyauté. Ils ne libéraient que son corps. S'il n'en toucha pas un mot à mes parents, mon père m'en parla, sans doute pour bien me faire comprendre ce que la présence de mon oncle leur coûtait.

Étant donné son amour pour ma mère et l'affection de celle-ci pour son frère, mon père estimait que ça en valait la peine. Ma mère n'avait jamais vraiment parlé de lui. Je n'avais jamais vu la moindre photo de lui. Chez mes parents, il n'y en avait que de moi. Pendant les émeutes de 1983, le feu avait consumé, en même temps que la maison de sa sœur à Colombo, les photos d'enfance de ma mère et de sa famille ; celles qui restaient la montraient à New York, vêtue des robes qu'elle confectionnait avec la machine à coudre Singer. Il n'y avait jamais eu de photos de mon père enfant.

Il n'empêche que je connaissais sûrement des éléments de la vie de mon oncle. Petite fille, j'écoutais aux portes et, bien que ma mère ne m'eût jamais parlé de lui, mon père l'avait fait.

Je devais avoir une douzaine d'années, je me tenais au seuil du cabinet de mon père.

« Sois gentille avec ta mère aujourd'hui, me recommanda-t-il.

— Ah bon, pourquoi ?

— Ne pose pas de questions, répondit-il en soupirant. C'est l'anniversaire de son frère aujourd'hui.

— Son frère ?

— Ton oncle Kumaran, qui a disparu il y a très longtemps. Là-bas. » Il fit un vague mouvement de la main comme s'il ignorait la direction exacte qu'il évoquait. Nous la connaissions tous les deux parfaitement.

« Il est mort ? voulus-je savoir, encore trop jeune pour ne pas insister

— Non », répondit-il.

J'étais assez grande pour ne pas poursuivre. Où pouvait-il être sinon là-bas ? Dès que ma mère me surprenait en train de regarder les informations à la télévision, elle quittait la pièce. Je me doutais des pertes que la guerre avait infligées à mes parents mais je n'avais jamais imaginé qu'elle puisse me priver de quoi que ce soit.

Dans une voiture qui s'éloignait de l'aéroport et roulait vers Toronto, je devins enfin assez grande pour ne pas poser de question. Si j'avais été plus jeune, j'aurais pu demander : Où allons-nous ? Si tu es l'un d'entre eux, comment es-tu arrivé jusqu'ici ? Comment se fait-il que tu aies une fille ? Les Tigres sont connus pour leur discipline, leur dévotion à une seule cause : le Territoire Tamoul. Les Tigres n'ont pas de famille.

Ils en ont pourtant. Ils vivent. Ils se marient. Ils élèvent des enfants. Ils meurent. Le nier ne peut faire disparaître cette réalité. Prendre les armes ne peut faire disparaître cette réalité.

Kumaran : avec lui, nous étions désormais piégés. Nous ne pouvions le ramener aux États-Unis. On l'aurait arrêté pour son engagement aux côtés des Tigres que certaines nations, y compris la mienne, qualifient de terroristes. Il était arrivé au Canada après être passé par Londres sous une identité d'emprunt ; à présent qu'il était là, nous étions sûrs qu'on ne l'expulserait pas. Les bras du Canada ont toujours été plus accueillants que d'autres. Après les évènements de 1983, de nombreux Tamouls étaient venus y chercher asile et avaient obtenu le statut de réfugié. Ce jour-là, en 2005, les autorités canadiennes l'ont repéré. Attrapé. Pour un autre, ç'aurait été la fin. Mais à leur demande, il sortit ses papiers d'identité sri lankais comportant son vérita- ble nom. « Tigre », spécifia-t-il. J'imagine que ce qu'ils savaient de son histoire dessina sur leurs visa- ges une expression plus ambivalente que l'effroi. *Nous savons que cet homme a commis des actes qui feraient pleurer sa mère.* Mais sa mère avait déjà eu sa part de larmes.

Kumaran avait aussi sur lui une lettre signée par un médecin sri lankais qui assurait que cette destination serait un terminus. *Cet homme est mourant. Tumeur au cerveau.* Sitôt que Kumaran eut précisé « Réfugié » puis « Tigre », les fonctionnaires se rendirent compte de la gravité de son état. Il était trop malade pour être renvoyé. Mon père se porta garant. Ils lui donnèrent l'autorisation : *Oui, vous pouvez mourir ici.* Mon père tendit son passeport et signa un papier déclarant qu'il assumait la responsabilité de mon oncle. Je ne savais pas encore ce que cela signifiait. J'aime mon père parce qu'au bout du compte, il a été le médecin de tous. De tous ceux qu'il pouvait aider.

Toronto : Depuis des années, les réfugiés tamouls du pays de mes parents trouvaient le chemin de cette ville, se dirigeant d'un pas hésitant vers le quartier fleuri de Petite Jaffna, qui, à défaut de remplacer le pays perdu, a le mérite d'en reproduire certaines configurations. En entrant dans une épicerie, un aveugle immigré de fraîche date aurait pu s'y orienter instinctivement et trouver noix de cajou, pain ou mangues. Ce Toronto-là affichait son côté tamoul d'une façon à la fois réconfortante et dangereuse. Les États-Unis ne m'avaient jamais rien offert de semblable. Le jour de mon anniversaire, les Tamouls commémoraient le Juillet Noir par des assemblées à ciel ouvert au cours desquelles ils remerciaient leur nouveau pays de les avoir sauvés. Certes, le Canada finirait aussi par classer les Tigres dans la catégorie des terroristes mais, au moment où mon oncle y débarqua, ce n'était pas encore le cas.

Mon père contacta un autre spécialiste tamoul qui nous retrouva à l'hôpital St. Antony où l'admission ne posa aucun problème. Mon oncle fut allongé sur un lit à roulettes et emmené, une perfusion déjà fichée dans son poignet là où je l'avais tenu. Il fallait le réhydrater parce qu'il avait vomi dans l'avion. Ma cousine ne chercha pas à l'accompagner. Impassible, elle regardait son père qui n'opposait aucune résistance à la ronde des instruments stériles destinés à apaiser sa souffrance.

Dès qu'il eut disparu, ma mère demanda à Janani si elle avait mangé. *Non.* Mon père me fourra de l'argent dans la main pour que nous allions acheter quelque chose à la cafétéria de l'hôpital.

Côte à côte, nous nous dirigeâmes vers l'ascenseur. C'était la première fois que nous allions quelque part ensemble. Dans la minuscule cabine, nous n'échangeâmes pas un mot. Elle me regardait alors que j'étais adossée à la barre métallique, plutôt elle regardait mon reflet dans les parois miroitantes. Elle portait le genre de chemisier en lin que ma mère mettait parfois, aux boutons trop gros et espacés, à col officier traditionnel, aux manches trop larges pour ses bras maigres, très musclés. Son allure avait quelque chose de militaire – d'après ce que j'avais entendu dire des Tigres, c'étaient eux qui l'avaient entraînée à se tenir ainsi. Elle croisait les mains, sa tresse souple lui descendait presque jusqu'à la taille et sa longue jupe effleurait le sol. Elle était chaussée de sandales apparemment neuves qui ne lui serviraient à rien : nous étions déjà en automne, il lui faudrait s'en débarrasser avant la venue de l'hiver. Je me souvins que ma mère m'avait raconté qu'elle n'avait jamais porté de chaussures fermées avant de venir aux États-Unis.

Janani ne me suivait pas, elle marchait à côté de moi tandis que nous longions un autre couloir bleu interminable. Elle jetait des regards furtifs alentour, examinant tout. Elle n'était pas nerveuse, elle était aux aguets. De même que je n'avais jamais vu l'obscurité de l'hôpital universitaire de Jaffna et étais incapable d'en imaginer les murs criblés de balles, j'étais sûre qu'elle n'avait jamais vu d'endroit semblable à cette cafétéria. Or, elle ne semblait ni désorientée ni mal à l'aise. Après lui avoir montré le thé, je pris deux assiettes que je remplis de riz trop cuit et de curry ; il y en avait dans cet hôpital, sans doute à cause du nombre de médecins et patients tamouls qu'il drainait. Ce sera comme à la maison pour elle, pensai-je : du riz et du thé. Du curry nageant dans une sauce brune, des visages au teint foncé.

Dès que j'eus réglé l'addition, nous nous assîmes. Je poussai une assiette vers elle à travers la table en simili bois. Elle me tendit une tasse de thé, veillant à ce que je la tienne bien avant de la lâcher. Plus tard, je me rendis compte que cela avait dû lui sembler bien contraire à l'hospitalité, bien Inconvenant. En tant que jeune fille élevée à Jaffna, elle savait sûrement qu'un hôte ne partage pas les repas de son invité – ce qu'on ne m'avait jamais appris. En l'occurrence, qui était l'hôte ? Moi, peut-être, mais je ne me sentais pas à la hauteur. Janani était une fille convenable selon la tradition. Certes pas autant que je le croyais alors : elle avait négocié le lopin de terre de son père à Jaffna avec plusieurs hommes à tour de rôle en échange de leur aide pour leur voyage. Mais elle n'en toucha pas un mot. Elle ne s'attribuait pas le mérite de la fuite. Elle buvait son thé tout en me regardant, sans sourire. Enfin, elle rompit le silence :

« Ta mère et ton père ne t'ont rien dit. Ils ne t'ont pas prévenue de notre arrivée. »

Cette fois, elle s'exprima en anglais. Il était évident que sa bouche en avait perdu l'habitude : elle prononçait ses *e* comme des *a*, et ses *a* s'étiraient en *i*.

« Non. Quel âge as-tu ? »

Elle fronça les sourcils, essayant de se rappeler le nombre en anglais.

De guerre lasse, elle répondit en tamoul. Je hochai la tête en signe de compréhension.

Dix-huit ans. Quatre ans de moins que moi. Plus tard, je reprendrai mentalement la chronologie des évènements : en 1984, un an après ma naissance, le chef des Tigres, qui avait d'abord interdit le mariage dans ses rangs, était tombé amoureux. Au fil du temps, cet amour-là avait rendu d'autres amours possibles. À présent, ma cousine qui me ressemblait sans me ressembler était assise en face de moi.

« Où est ta mère ? lui demandai-je en anglais.

— Elle faisait aussi partie du mouvement. Elle est morte il y a quelques années dans un bombardement. »

Elle prononça toute la phrase en tamoul, sauf le mot bombardement, et ne reprit pas son souffle entre la première et la seconde phrase. J'avais envie d'en savoir plus : Quel genre de bombardement ? Était-ce elle qui avait lancé la bombe ou avait-elle été bombardée ?

Mais je me gardai d'interroger Janani, dont le visage n'était pas très engageant, même s'il n'était pas complètement fermé. Son expression n'était cependant pas triste. Au-dessus de son gobelet, elle pencha le sucrier d'où tomba beaucoup trop de sucre ; elle le mélangea à son thé qu'elle but comme s'il était inconcevable qu'un trop-plein de quoi que ce soit puisse avoir des conséquences.

« Ils t'ont laissée partir avec ton père comme ça ? »

Elle cessa de boire. Je m'aperçus qu'elle prenait la décision de parler lentement pour que rien ne m'échappe :

« J'étais déchirée entre l'envie d'accompagner mon père et celle de rester. C'était chez moi, tu comprends. – Elle me dévisagea. – Non, évidemment, puisque tu n'y as jamais mis les pieds.

— La guerre ? Bien sûr, je suis au courant de la guerre.

— Tu me comprends à peine, répliqua-t-elle. Comment pourrais-tu comprendre la guerre ? La guerre et le tamoul, c'est du pareil au même pour toi : quelque chose que tu n'apprendrais que par nécessité, non par choix. Nous avons entendu parler des Tamouls de l'étranger, de leurs convictions de façade. »

Le rouge me monta sûrement aux joues. Toute Convenable qu'elle fût, elle ne mâchait pas ses mots.

« Je parle tamoul, protestai-je. Un peu.

— Eh bien, vas-y alors. À mon avis, tu es plus américaine que tamoule sinon tu serais déjà mariée ; je me marierai avant toi.

— Tu vas te marier ?

— Je suis ici pour être près de mon père quand il mourra, répondit-elle. C'est imminent, je le sens.

J'aurais préféré qu'il meure là-bas, dans le pays pour lequel il… nous… avons lutté. Celui où j'ai grandi, où se trouve ma vraie famille, où ma mère est morte. »

Son visage se déforma un peu.

« C'est ce que je voulais pour lui, poursuivit-elle. Mais il désirait rejoindre ta mère, sa sœur préférée, malgré la façon dont elle s'est mariée. »

Nous avions passé des heures dans des salles d'attente, des bureaux d'aéroports et des hôpitaux pour amener mon oncle jusqu'à l'endroit où nous nous trouvions. Mon père m'avait confirmé l'identité de mon oncle. Il avait ajouté en quelques mots que certains comptaient sur nous désormais à cause de la présence de Kumaran. En revanche, aucun de mes parents n'avait fait allusion au mariage de Janani.

« Ils ne t'ont rien dit à ce sujet non plus, constata-t-elle. Enfin, il est possible que mon père ne leur en ait pas encore parlé », conclut-elle avec une intonation différente.

Elle s'attendait manifestement à une réaction de ma part. Peine perdue, je ne desserrai pas les dents.

« Il y a un homme qui vit ici, à Toronto, reprit-elle. Il s'appelle Vijendran. Il est très investi dans la cause d'Eelam. C'est le nom de notre pays, la terre pour laquelle nous nous battons. Sais-tu ça au moins ? Cet homme a un fils : mon promis.

— Tu as dix-huit ans ! m'exclamai-je.

— C'est bien assez vieux. À cet âge, notre grand-mère était déjà mariée avec des enfants. Ma mère est morte, mon père va mourir, et je n'aurai plus personne.

— Et nous alors ?

— Tes parents sont gentils, mais ils ne sont pas ma famille. Vous n'êtes pas ma famille. »

Elle ne savait pas encore que le choix ne dépendait pas d'elle. Malgré nos efforts, ni l'une ni l'autre ne réussirons à abandonner nos familles.

En fin de compte, un an après, beaucoup trop tard, la mort a accompli ce que personne d'autre ne pouvait faire, pas même Kumaran. Il n'est plus un militant. Il n'est plus un Tigre Tamoul. Il n'est plus ici. Et sa fille s'apprête à faire un Mariage Convenable.

Cette semaine-là, nous l'avons sorti de l'hôpital. Il avait prévenu mon père, pas ma mère, qu'il ne voulait pas y mourir. Des mesures avaient été prises – par qui, et comment, je ne le demandai pas. Nous avons emménagé dans une maison vide à la lisière de Scarborough, un quartier particulièrement tamoul de Toronto. Nous avons installé mon oncle dans un lit d'hôpital et organisé les visites régulières d'une infirmière. Nous avons couché mon oncle dans un lit pour qu'il y meure, parmi nous.

En observant ma mère, je m'apercevais qu'elle était contente de s'occuper de mon oncle, que ça la rendait plus heureuse qu'elle ne l'avait jamais été lorsqu'elle ignorait où il se trouvait. Elle préférait qu'il meure en sa présence plutôt que de savoir qu'il poursuivait son existence passée. Elle ne voulait pas l'imaginer ailleurs. Elle changeait ses draps, cuisinait ses plats favoris, lui faisait la lecture et jouait la musique tamoule qu'il aimait dans sa chambre. Le matin, elle écartait les rideaux qu'elle tirait le soir. Janani avait beau l'aider, on aurait dit qu'elle passait son temps à attendre. Quoi ? Aucune idée. Assise sur le rebord de la fenêtre qui donnait sur un jardin anglais, à l'arrière de la maison, elle observait tout ce qui s'offrait à son regard. C'était un lopin de terre grise avec des clôtures à hauteur de la taille. Il y avait des treilles dont la peinture blanche s'écaillait, des feuilles et des branches mortes. Rien n'y poussait alors que le monde entier fleurissait autour de lui. Ma mère y emmenait mon oncle, les jours où il en avait la force, et ils s'y promenaient à pas très lents, bras dessus, bras dessous, pour qu'il prenne l'air.

D'ordinaire, pendant la journée, mon père les laissait seuls. Mais il se levait avant ma mère et, dans la fraîcheur de l'aube, il auscultait mon oncle dans sa chambre. Un matin, tirée du sommeil, en nage, j'allai chercher un verre d'eau et je les entendis.

« Respire, disait mon père. Et la douleur ? »

Mon oncle murmura quelque chose dans un tamoul trop rapide pour que je le comprenne.

« Je peux te donner des cachets, enchaîna mon père. Ce sera comme de la morphine.

— Du cyanure ! » s'exclama mon oncle, éclatant d'un rire grossier mais tellement sincère que je ressentis soudain de l'affection pour lui.

Je m'adossai au mur froid et blanc. Il faisait encore sombre. Mon père, qui n'avait allumé aucune lampe, devait m'avoir entendue parce qu'il sortit dans le vestibule.

« Retourne te coucher », m'enjoignit-il gentiment.

Je ne bougeai pas.

« Dans ce cas, peut-être pourrais-tu aller voir ton oncle et lui parler », ajouta-t-il d'un ton hésitant.

La chambre avait beau ne pas être éclairée, je distinguai le visage de mon oncle grâce à la faible lumière matinale qui entrait par les fenêtres et à la blancheur éblouissante du lit d'hôpital qu'il avait à moitié redressé. Un exemplaire familier du *Tirukkural*[1] – celui de mon père sans doute – était ouvert sur son torse. Il me fit une étrange impression. Son visage, si semblable à celui de ma mère, était un visage de moribond, d'où ma réticence à aller le voir. En outre, il avait souffert et, même si je percevais sa souffrance, c'était nouveau pour moi. Personne n'était mort dans mon entourage et j'appréhendais de faire sa connaissance. Dans cette maison à l'abandon et qui le restait même si nous y vivions, nous ne nous connaissions pas. Je ne lui adressais pas la parole.

1. L'un des textes fondateurs de la littérature tamoule, un traité de philosophie écrit en vers par Thiruvalluvar il y a plus de deux mille ans.

Je me levais. Je lisais. J'aidais ma mère. Je dormais.

« Je me demandais si tu viendrais un jour discuter avec moi. » Il m'accueillit ainsi tout en tapotant son lit, près de son genou.

« Assieds-toi et parle-moi de toi.

— Que veux-tu savoir ? lançai-je en anglais, en restant debout.

— Qu'est-ce que tu étudies ? poursuivit-il toujours en tamoul.

— L'anglais. »

Il s'esclaffa :

« Eh bien, tout s'explique. Que comptes-tu faire ?

— Je vais être médecin. » D'un coup, cela sembla plus réel.

« Tu parles tamoul ?

— Je le comprends.

— Est-ce que tous les enfants ici sont comme toi ?

— En tous cas, nous ne sommes pas comme ta fille », laissai-je échapper.

Il éclata d'un rire encore plus tonitruant. Son visage fut secoué de spasmes et, percevant son insoutenable souffrance physique, je me sentis mal. Puis il figea son expression dans un sourire, ce qui força mon admiration presque contre mon gré.

« Je ne crois pas que qui que ce soit ressemble à ma fille. Tu n'en as pas parlé avec ton père, je le sais. Quoi qu'il en soit, il est au courant et ta mère aussi. En effet, elle va se marier. C'est ce qu'elle veut. C'est sa façon de soutenir le monde qu'elle et moi avons quitté.

— Elle peut faire ce que bon lui semble.

— Je voulais te raconter une histoire, continua-t-il, cette fois en anglais. Mais tu ne songes qu'à t'en aller. Il est vrai que ce serait plus simple.

— Je n'ai pas dit ça.

— Pourquoi aurais-tu envie de me connaître alors que j'ai causé un tel chagrin à ta mère ? Peut-être ne te ferai-je que du mal. Quel âge as-tu ? J'aimerais que tu restes. Je peux me débrouiller en anglais si tu veux. Autrefois, il y a longtemps, je ne parlais qu'anglais, l'anglais de la reine, le plus châtié. Tu devrais être à la fac, non ? Combien de temps as-tu ?

— La question serait plutôt combien de temps as-tu toi ?

— Suffisamment », répondit-il.

Kumaran : « Je tiens à te dire que ton père est un homme exceptionnel. Te rends-tu compte qu'il s'occupe de moi malgré ce que je lui ai fait ? C'est à lui que j'ai écrit, tu sais, plutôt qu'à ta mère, parce que j'ai pensé que ce serait trop dur pour elle. Je voulais lui épargner l'organisation, les contraintes logistiques de mon déplacement jusqu'ici. Ton père partageait mon avis. Nous ne sommes pas amis. Nous ne l'avons jamais été. Mais ton père est un homme exceptionnel », répéta mon oncle.

Je restai immobile un instant avant de lui demander :

« Après que tu lui as fait quoi ?

— Eh bien, il est encore plus exceptionnel que je ne le croyais. Il ne t'en a pas parlé. Il m'en a laissé la responsabilité, ce que je mérite puisque j'ai essayé de l'empêcher d'épouser ta mère. Tu sais où j'étais, n'est-ce pas ? Est-ce que les jeunes d'ici sont au courant de la guerre ?

— Oui. Dans mon enfance, nous recevions régulièrement des dépêches à ce sujet. Rien d'officiel, personne n'aurait pris ce risque. Je me souviens que si je rentrais à la maison avant mon père et qu'elles étaient arrivées, je me débrouillais pour les lire.

— Et alors ?

— C'était très imagé, répondis-je en frissonnant, et j'étais très jeune. L'essentiel des informations étaient en tamoul, mais les bribes en anglais se sont gravées dans ma mémoire. J'ai appris à lire très tôt. Un jour, à son retour du travail, mon père m'a trouvée plongée dans des descriptions de torture. Le journaliste détaillait, dans l'anglais sommaire de ceux dont ce n'est pas la langue maternelle, des scènes qui se déroulaient dans les locaux de l'armée : des Tamouls pendus la tête en bas, leurs parties génitales dénudées et dévorées par les fourmis rouges ou électrocutées, sommés de répondre à la question : es-tu un Tigre ?

— Moi, j'en étais un. J'en suis un, précisa mon oncle.

— Je croyais impossible de quitter le mouvement une fois qu'on l'avait rejoint.

— Dans mon état, je ne leur servais plus à rien. Ils étaient impuissants face à ma maladie qui s'aggravait. Peut-être s'imaginent-ils que je leur serai plus utile ici, où les gens ont de l'argent. Ils... Nous sommes très intelligents comme tu le sais sûrement. Nous sommes célèbres. Nous avons bombardé l'aéroport sans faire le moindre mort. Nous avons même bouté les forces indiennes hors du Sri Lanka avec très peu de moyens par rapport à ceux dont disposent les armées sri lankaise et indienne. Je suis avec les Tigres depuis le début, et ils ont facilité

mon départ. On parle de leurs règles sans connaître les exceptions qu'ils tolèrent. Rien de ce qui se
passe là-bas n'est brutal ou rapide. Comment la
guerre pourrait-elle l'être ? Celle-ci va durer longtemps, elle change et évolue.

— Comme la règle contre le mariage », lançai-je.
Il cligna des yeux, surpris que j'en sache autant.

« Oui, reconnut-il. À la création du mouvement,
il fallait de la discipline. Nous pensions que ce
genre d'amour nous aurait distraits de la cause.
C'était le début de notre insurrection après une
longue période de tentatives pacifiques. À cette
époque, dans les années 1970, le monde entier se
radicalisait. Même les États-Unis. Et je venais de
prendre les armes. J'étais jeune. J'aurais dû être à
l'université. Beaucoup d'entre nous faisaient le
même choix à cause du sort des Tamouls qui voulaient étudier. Qu'aurions-nous pu faire d'autre ?
Je m'étais enrôlé depuis un certain temps lorsque
que j'ai appris que ton père avait l'intention d'épouser ta mère. À mes yeux, l'université était le berceau
de la prise de conscience politique ; c'était là que
j'avais découvert d'autres valeurs que la religion ou
les liens du sang. Pour ton père, l'université avait
été une passerelle vers le pays où il avait rencontré
ta mère. Comment ai-je appris leur relation ? Je ne
m'en souviens pas, mais j'étais furieux que ma sœur
évolue dans un autre univers que le mien. Elle avait
quitté le pays de notre enfance et l'existence de ton
père rendait son départ définitif or elle était censée
rentrer au Sri Lanka – son retour était essentiel
pour moi, un gage que nous y avions un avenir.

— Comment as-tu réagi ?

— Personne ne s'intéresse à un petit pays. C'est la vérité, même si on prétend le contraire. La patrie de tes parents ne compte pas pour le pays où tu es née ni même pour l'Occident. D'où ma colère. Toi, tu n'as pas l'air en colère. C'est rare pour quelqu'un de ton âge.

— Détrompe-toi, je le suis », rétorquai-je. Pour la première fois depuis des mois, c'était vrai.

« Pas à cause d'une situation politique. Regarde ma fille Janani, ta cousine. Elle m'en veut d'avoir quitté le Sri Lanka, donc les Tigres et de l'avoir emmenée ici alors que nous avons tellement lutté là-bas. Sa mère y est morte pour une bonne raison, veut-elle croire. Elle ne connaît que les Tigres et la vie dans le pays qu'ils se donnent tant de mal à construire. Il lui a suffi d'un coup d'œil pour conclure que tu es une privilégiée dont la vie est facile. A-t-elle tort ? D'ailleurs, qu'est-ce qui te met en colère ? Toujours est-il que j'étais jeune à cette époque-là et le respect des traditions me semblait important d'autant que nous venions d'une bonne famille. Et puis, en tant que frère aîné, j'étais responsable du mariage de ta mère. J'ai écrit à ton père.

— Qu'y avait-il dans la lettre ?

— Beaucoup de choses que je ne pourrai jamais effacer. Dieu sait pourtant que je le souhaiterais. Je m'y vantais de pouvoir retrouver sa famille et lui faire du mal grâce à mon appartenance au mouvement. »

Je me penchai en avant et fixai mon oncle d'un regard dur qu'il soutint sans ciller. Le blanc de ses yeux était fileté de rouge, ses mains tremblaient et

ses lèvres pincées donnaient à sa bouche – qui
devait jadis ressembler à celle de ma mère – une
intransigeance qui me frappa.

« Tu as menacé la famille de mon père ?

— Je ne l'ai pas empêché de faire ce qu'il voulait,
rétorqua mon oncle. J'ignore s'il m'a cru ou ce
dont il m'a pensé capable, il n'avait qu'une idée en
tête, épouser ta mère.

— C'est ça, l'histoire que tu voulais me raconter ?
demandai-je, incrédule.

— Il m'a semblé que quelqu'un devait le faire.
J'ai toujours été jaloux de ton père mais jamais
autant que lorsque je t'ai vue à côté de Janani à
l'aéroport. Est-ce que tu te rends compte de la différence entre vous, entre vos héritages respectifs !
En tout cas, j'ai bel et bien écrit ça même si je ne
sais plus si je le pensais vraiment.

— L'histoire se termine là ?

— Bien sûr que non. Je peux te la raconter
jusqu'au bout.

— Non. Une partie ne concerne que mon père »,
ripostai-je.

Mon père obtint un congé de l'hôpital universitaire où il consultait et se mit à enseigner ; ma mère, maîtresse d'école, trouva un remplacement. Je prévins mon université que, une fois de plus, je ne suivrais pas les cours. À ma grande surprise, mes parents ne m'en firent pas le reproche. Après tout, ils avaient quitté le Sri Lanka pour que moi, leur fille, aie droit à une éducation. Je ne connaissais pas mon oncle. Pas vraiment. Aussi, ma mère ne s'attendait-elle pas à ce que je reste. Peut-être mon père l'espérait-il. C'était lui qui avait reçu la première lettre de Kumaran des années auparavant, puis la seconde où il lui annonçait son arrivée au Canada. Si mon père ne fut pas étonné de ma décision, il le fut que j'aie, outre les questions que j'avais posées à mon oncle, des questions à lui poser.

Il avait installé son cabinet dans une petite chambre au deuxième étage de la maison. Dès que je sortis de celle de mon oncle, je montai le retrouver. Lorsqu'il me vit au seuil de sa porte, il retira ses lunettes et leva les yeux de la revue médicale qu'il était en train de lire.

« As-tu bien bavardé avec ton oncle ?

— Si on veut.

— Tant mieux.

— Est-ce que Amma est au courant ? enchaînai-je. As-tu pris les menaces de Kumaran au sérieux ?

— Non, ta mère n'a jamais rien su. Pourquoi lui en aurais-je parlé ? Je l'aurais épousée de toute façon. Miser sur ta mère signifiait miser aussi sur lui. Je te l'ai déjà dit, on épouse une famille, tous les membres d'une famille. Je n'étais même pas certain qu'il te l'avouerait.

— Il en a pour combien de temps ?

— Quelques mois. Tu peux écouter ce qu'il a à te dire.

— Et toi, tu n'as rien à dire ? »

Fermant son journal, il me dévisagea :

« Pas vraiment. J'ai épousé ta mère. En un sens, j'ai gagné.

— Comment pouvais-tu être sûr qu'il n'entreprendrait rien ? Les Tigres sont capables de retrouver n'importe qui. J'ai lu des articles à ce sujet. Même en Amérique du Nord, ils retrouvent des gens qu'ils forcent à donner de l'argent pour la cause. Certains le font volontiers, je n'en doute pas, mais d'autres y sont contraints. L'une des raisons pour lesquelles ils l'ont laissé partir, c'est parce qu'ils s'imaginent qu'il pourra lever des fonds. D'où te venait cette certitude que tout irait bien ?

—Je n'avais pas le choix, expliqua-t-il, avec un sourire qui le rajeunit de dix ans. Dans le village où j'ai grandi, j'ai dû me battre pour obtenir ce que je voulais. J'étais le plus jeune et je n'avais pas de père. J'ai grandi sur mes gardes et, lorsque j'ai rencontré ta mère, je n'en pouvais plus de cette circonspection. L'Amérique n'est pas un pays fait pour la prudence. Je me sentais suffisamment en sécurité pour risquer le tout pour le tout, et j'avais trouvé quelque chose, quelqu'un, qui en valait la peine. Je n'ai jamais vraiment cru qu'il mettrait ses menaces à exécution. Même s'il en avait les moyens. Tu imagines ? Faire du mal à un compatriote, originaire du même village ou presque ? Un homme qui aimait sa sœur et que sa sœur aimait ? C'était inconcevable si je me référais à ma propre famille qui, à sa façon, a tout fait pour l'Amour. Peut-être était-ce naïf ou stupide de ma part, mais... ton oncle et moi ne sommes pas nés très loin l'un de l'autre même s'il aurait préféré que ce soit le cas lorsqu'il me jugeait indigne de ta mère. Nos philosophies ne sont d'ailleurs pas très différentes : les Tigres ont raison d'affirmer que le gouvernement – qui se lave les mains de tout comme n'importe quel gouvernement – a gravement lésé les Tamouls. En tant que médecin, je ne peux adhérer aux méthodes des Tigres mais je redeviens un Tamoul dès que j'enlève ma blouse. Le gouvernement n'a pas levé le petit doigt quand on a attaqué mes amis ; il a laissé brûler ma bibliothèque, dévaster mon village ; il s'est emparé de ma maison, la maison que mon père a construite pour l'Amour. À peine l'ai-je quittée que l'armée sri lankaise s'y est installée. Aussi je n'ai pas de mal à pardonner à ton oncle ni même à le comprendre. Le peux-tu, toi, toute la question est là ?

— Je croyais que tu n'avais rien à dire », lançai-je.

Il garda le silence un moment avant d'éteindre la lampe. Puis il éclata de rire : « Tu es vraiment une drôle de gosse ! » L'expression le fit soudain paraître très américain. « Ne joue pas à celle qui ne comprend rien. C'est vrai, je suis parti en Occident pour t'épargner tout cela. Pour que tu n'aies pas à choisir ton camp. Je crains que ce soit impossible désormais parce que cette guerre te concerne autant que moi. Or tu ne pourras décider de quel bord tu es que si tu connais toute l'histoire. »

J'ai de la chance : j'ai un père. C'est ainsi que j'écris l'histoire de Murali avant qu'il ne soit mon père, celle de Vani avant qu'elle ne soit ma mère, celle de Janani avant qu'elle ne soit fiancée et celle de Kumaran avant qu'il n'ait quitté ce monde. J'ignore si mon père, qui a connu la passion amoureuse, souhaiterait que je suive l'exemple de Janani en matière de mariage. Et je ne sais pas non plus comment réagirait Kumaran, farouche défenseur de la tradition en son temps. D'ailleurs pourquoi était-il si opposé à l'évolution du monde ? Qu'est-ce qui avait poussé ma mère à dire aux siens qu'ils devaient apprendre à aimer l'homme dont elle était éprise ? Qu'est-ce qui avait empêché mon père d'avoir peur ? La mort de mon oncle est encore assez récente pour que nous ne puissions regarder Janani sans penser à lui. Les différences entre nos pères sont aussi flagrantes que leurs ressemblances. Il y a longtemps, mon père a choisi une voie qui lui a fait quitter Jaffna et l'a conduit à ma mère ; je ne sais si Kumaran a choisi la sienne, mais qu'il se fût agi de destin ou de libre arbitre, elle a abouti à son absence du temple lors du mariage de Janani – un lieu où la présence d'un père est de rigueur.

Je veux vous expliquer pourquoi je me tiens à la veille de son mariage à côté d'une jeune femme, dont le père défunt a tenté d'empêcher le mariage de mes parents. Je veux vous expliquer pourquoi elle se trouve en face d'un prêtre et pas moi. N'allez cependant pas croire que vous pourrez connaître toute l'histoire : elle est en partie insaisissable, c'est ce qui fait son charme. Un voyage au sein d'une famille comporte toujours de l'inconnu – un amour caché, une haine secrète, une mort inexpliquée, le parfum flottant dans le temple du précédant mariage. Un inconnu qui sommeille dans l'origine d'un être ou dans la fin d'un autre. Il arrive qu'on donne un autre nom au Mariage Sans Consentement, au Mariage d'Amour pour le faire entrer à tout prix dans le cadre des conventions. Gardez-vous d'imaginer la vérité sur votre famille à force d'incursions dans les oubliettes de l'histoire, en invoquant le rôle d'archiviste pour justifier votre intrusion. Les membres de la famille eux-mêmes estimeront ne pas devoir vous donner davantage que des souvenirs, souvent embellis par le mensonge. Au mieux, vous parviendrez à écarter le voile un moment mais l'imagination d'une famille peut être aussi réelle que son histoire. Je m'explique : on puise dans les veines de chacun de ses membres lorsqu'on dresse la carte d'une famille. Aussi, je pénètre dans la mienne comme dans un rêve – avec autant de prudence que d'émerveillement.

Il y a ceux, et ils sont rares, qui baissent la garde et vous laissent entrer. Ce sont les personnes qui ont suffisamment aimé leurs vies pour oublier que vous êtes là tandis qu'elles en évoquent les épisodes passés. Nous sommes constitués des êtres qui nous entourent ; l'existence de chacun de nous est semblable à un jardin peuplé de consanguins. « Voici comment j'ai rencontré la personne que j'ai le plus aimée au monde. Voici comment j'ai aimé la personne que j'ai le plus aimée au monde. Voici comment j'ai perdu la personne que j'ai le plus aimée au monde. C'était mon père. C'était ma mère. » Ils pourraient aussi bien soliloquer. Ils s'égarent dans le plaisir que leur procure le son de leurs voix, les images ravivées de leur enfance où ils se retrouvent, parfaitement seuls. Sublime solitude. Il est même superflu de leur dire : Oubliez-moi. Parlez de mon père, de ma mère, de mon oncle, de ma cousine.

« J'avais l'intention de te parler de ta mère, pas de moi, s'interrompt soudain mon oncle, au beau milieu d'un récit, stupéfait à en avoir le souffle coupé.

— Je te trouve intéressant.

— Ce n'est que l'histoire d'un individu, comme il en existe tant. »

En d'autres termes, il m'explique que son histoire n'a pas d'importance. Nous savons tous les deux que c'est faux.

« Libre à moi de l'entendre autant qu'il me plaît », dis-je.

Après un instant de réflexion, mon oncle opine :

« Tant que tu ne cherches pas à y insuffler du sens ou de la cohérence.

— Je m'efforcerai de l'éviter.

— Ce serait une invention, enchaîne-t-il en riant. La réalité est toujours plus complexe. »

Il voulait dire qu'il serait faux d'assigner un début, un milieu ou une fin à l'histoire, autant de notions trop précises. Nos vies n'ont pas d'ordre. Elles commencent sans fanfare et s'achèvent sans crier gare. Cette histoire n'a ni forme définie ni trajectoire harmonieuse, il serait vain de ma part de lui en conférer.

MURALI N'EST PAS ENCORE MON PÈRE

« Que le médecin étudie la nature
de la maladie,
Ses causes et ses remèdes,
et qu'il la soigne loyalement. »

Tirukkural, chapitre 95, ligne 8.

Murali : lui aussi avait grandi sans père.

Il n'avait que sept ans à la mort de l'inspecteur Jegan et, dès lors, presque à titre de vengeance – il eût été incapable de dire contre qui – tout ce qui concernait son père se grava dans sa mémoire. La longueur de leurs ombres durant le trajet quotidien à l'école, à l'aller et au retour. Le montant de ses dons au temple. Les empreintes de ses orteils dans ses sandales, beaucoup trop grandes pour les petits pieds de Murali. Son entêtement à manger une mangue après le dîner. Les boucles en S que formaient ses cheveux sur sa nuque lorsqu'il était temps de les couper.

Plus tard, Murali ajouta le nom de son père, Jegan, au sien, et devint J. Murali dans un pays où il est requis d'avoir deux noms. Ariyalai était un gros village dont les deux extrémités étaient séparées par plusieurs kilomètres. Des milliers de gens vivaient dans cet intervalle – des familles habitant de grandes maisons, proches les unes des autres. Tous distinguaient Jegan, l'inspecteur, de Jegan, le receveur des postes, mais aucun d'eux aussi bien que Murali.

L'inspecteur Jegan était un homme redoutable,
au visage sévère. Ses cheveux étaient déjà blancs à
sa mort bien qu'il n'eût pas encore cinquante ans.
Comme Murali, il avait des problèmes cardiaques.
Aussi, quand il marchait dans Kandy Road – la route
qui traverse Ariyalai et va jusqu'à la ville de Jaffna –
son pas était-il plus régulier que vif. Les gosses du
village s'écartaient de son chemin. Il était grand et
mince, et le soleil d'Ariyalai allongeait encore son
ombre. Ses enfants travaillaient en permanence. Il
grondait ceux des autres qu'il surprenait à jouer au
cricket ou bien à rôder dans les sentiers et les environs au lieu d'être penchés sur leurs devoirs. Ses
sermons ne les empêchaient pas de filer au cinéma
ou d'aller s'acheter une roupie de bonbons. Les
siens n'allaient pas voir de films car il trouvait que
l'érotisme des histoires importées d'Inde n'était
pas de leur âge. Il allait tous les jours chercher
Murali à l'école élémentaire du village, située à un
kilomètre de la maison familiale. Il ne souriait
jamais. Ni sur les photos ni même à son fils cadet
qui le guettait, anxieux, par la fenêtre de la salle de
classe. On comprenait ce que Jegan voulait dire à
l'autorité qui s'affichait sur son visage. Murali était
le dernier d'une famille de huit enfants qui aimaient
leur père, non en dépit de sa fameuse sévérité, mais
à cause d'elle. L'attention constante de leur père
les protégeait. Il leur avait construit une maison
aux plafonds trop hauts – cela signifiait qu'il attendait d'eux qu'ils grandissent vite. Lorsque Jegan
mourut d'une crise cardiaque dans son sommeil,
Murali rêva que la mousson faisait voler la maison
en éclats.

Il plut en effet le jour des obsèques de Jegan, mais faiblement, pas assez en tout cas pour éteindre le bûcher où son corps se consumait.

Ce fut une cérémonie grandiose à laquelle tout le monde assista. *Tout le monde.* La famille du père de Murali était vaste, il avait à lui seul quarante-six cousins qui vinrent accompagnés de leurs parents et de leurs enfants. Les oncles et tantes vinrent aussi, y compris ceux qui ne l'étaient pas mais que la famille de Jegan surnommait ainsi du fait de leur affection mutuelle. Tous les clercs qui avaient travaillé pour Jegan s'assirent en rangs derrière la foule, devant leurs bicyclettes garées de l'autre côté des portes. Tharshi, la mère de Murali, veillait sur cette marée humaine. Ces obsèques étaient les premières à se tenir à Chitupathi, un espace nouvellement dégagé pour les morts d'Ariyalai. Cet honneur revenait à Jegan, car tout le monde l'avait aimé.

On brûla son corps au meilleur endroit, sous un maram, un arbre au sommet d'un tertre. Ce matin-là, l'un des frères du défunt était venu abattre un vieil arbre, dont Jegan s'était longtemps occupé sans beaucoup de succès car, rabougri, il n'avait presque plus de sève. Le frère apporta le bois et le débita en de longues bûches qu'il empila de façon à ce que la chaleur se concentrât au centre du brasier. Les hommes de la famille portèrent le cercueil où se trouvait le corps et le hissèrent sur le tas de bois. Neelan, le frère aîné de Murali, alluma une torche puis, détournant les yeux, mit le feu au bûcher. Le corps brûla. On avait déjà psalmodié les prières.

Murali pleura silencieusement, frottant son petit visage avec ses poings. Ils n'avaient pas eu l'intention de le laisser venir sur le lieu de la crémation, mais Murali n'avait pas eu à insister pour faire valoir un droit que personne n'avait songé à lui contester. Même si on ne lui avait pas expliqué ce qui se passait, il savait que son père était mort. Il était habillé de vêtements de deuil blancs, comme tous ses frères et sœurs. Dans sa main, il serrait des hibiscus – la seule tache de couleur. Ce n'était pas la tradition d'apporter des fleurs, mais il les avait cueillies en chemin sur un massif que son père aimait. Personne ne l'en avait empêché. Il appuyait son dos mince aux genoux de sa mère tandis que la bruine mouillait ses cheveux, dégoulinait sur son visage et ses épaules d'enfant de sept ans, jusqu'à ses orteils. Le froid pénétrait en lui, bien qu'il ne fît jamais vraiment froid au Sri Lanka, même à Nuwara Eliya, même dans les montagnes.

Un tel calme prit possession de lui qu'il s'en oublia presque.

Le lendemain, le frère de Murali vint chercher les cendres qu'il emporta jusqu'à la plage située le plus au nord de l'île, à Point Pedro. Et Jegan fut confié à l'océan.

Les Ariyalai cessèrent de brûler leurs morts à Chitupathi des dizaines d'années plus tard, lorsque le champ devint trop miné, une conséquence de la guerre entre les militants tamouls et l'armée sri lankaise. Puis le site de remplacement nommé Chemmani fut le théâtre d'un massacre de civils tamouls si bien que les habitants d'Ariyalai reprirent possession de Chitupathi déminé. Quand Murali l'apprit à l'autre bout du monde, il se souvint s'être tenu debout dans ce champ, il se souvint de la faculté de médecine et comprit enfin la dignité que pouvait avoir un cadavre dans sa parfaite intégrité.

Même aujourd'hui, il ne se sépare pas du *malarangali,* le livre qui commémore l'enterrement de son père. Il l'avait bien rangé dans une poche intérieure de sa valise et il avait traversé l'océan avec lui. Comme tous les livres de commémoration, il contient l'arbre généalogique du défunt. Murali s'y cramponne en se rappelant que celui qui l'avait écrit était un érudit du voisinage qui avait voulu y intégrer le nom du père de Jegan. Mais aucun membre de cette immense famille ne connaissait le nom du grand-père mort depuis une éternité. Ils avaient interrogé les tantes, les oncles, les sœurs, les frères. En vain. Et Tharshi n'avait jamais songé à le demander à son mari. En effet, les femmes ne posent pas ce genre de question dans un pays où les noms de famille n'existent pas vraiment, où on ne transmet pas les noms de père en fils comme en Amérique. Ainsi, Tharshi, l'épouse de Jegan, n'avait pas la réponse.

Beaucoup de temps s'était écoulé avant que quiconque pensât à interroger Murali. Après tout, il n'avait que sept ans à l'époque. Il aimait son père, il était resté si calme qu'il s'était presque oublié et que les autres l'avaient oublié aussi. C'était le seul à connaître la réponse. Jegan était son père ; le père de Jegan s'appelait Kathiravelu. Murali le savait grâce à leurs innombrables trajets entre la maison et l'école. Il le savait parce que, comme tous les petits garçons, il avait posé des questions qui n'avaient d'importance ni pour l'un ni pour l'autre, uniquement pour le plaisir d'entendre parler son père. La question ne devint essentielle que plus tard. À l'époque, ce n'était que Murali, un petit garçon qui, après la mort de son père, s'efforçait de se conduire comme un grand. Aujourd'hui, ses frères et lui ont associé leur père à leurs noms. Ils sont tous sont des Jegan.

Chez nous, au Sri Lanka, dit mon père, les choses se passent autrement. Nous ne portons pas nos ancêtres toute notre vie. On n'en dresse la liste qu'à notre mort.

Murali, le petit garçon mince comme un roseau au teint sombre, s'était tenu seul dans le champ où reposaient les cendres et où tomberaient les bombes. C'est ainsi qu'il grandit sans avoir peur des unes ou des autres.

Murali : c'était le plus jeune, et il n'avait pas de père. En revanche, il avait une mère. Et quelle mère ! Les prêtres du temple de Ganesh allaient jusqu'à la qualifier de « meilleure entre toutes ». Non de « plus gentille » ni « de plus belle » : de « meilleure entre toutes ». Un terme par lequel ils la consacraient pour toujours car il correspondait parfaitement à leur pensée. À la mort de son époux, sa jeunesse était révolue depuis longtemps si on l'évaluait en nombre d'enfants, mais pas depuis si longtemps en nombre d'années. Elle avait été *pala-punditai* – une novice *pundit*[1]. Puis Jegan, le père de Murali, qui vivait à l'autre bout du village, l'avait écoutée déclamer un texte lors d'un concours à l'école.

Jegan, qui n'était pas encore mon grand-père, se rendit à l'une des réunions de l'école, populaires même auprès de ceux qui n'avaient pas de jeunes

---

1. Sage versé dans la science des textes classiques en sanscrit.

enfants. Les élèves doués étaient la fierté des habitants d'Ariyalai qui, cette fois-là, furent particulièrement fiers de Tharshi. Tous les spectateurs
trouvèrent qu'elle leur ressemblait, ce qui était vrai
puisqu'elle connaissait le village, l'aimait, l'empor-
tait partout. Contrairement à certaines jeunes filles
qui marchaient les épaules en avant pour cacher
leurs poitrines naissantes, elle se tenait droite. Personne ne l'avait encore persuadée d'avoir honte,
une qualité qui interpella Jegan. Il remarqua sa
grande taille. Il remarqua qu'elle rejetait sa tête en
arrière. Il remarqua la longueur de son cou et celle
de sa tresse noire. Il eut l'impression de la voir pour
la première fois à moins qu'il ne l'ait tout simplement pas reconnue auparavant comme la femme
de sa vie.

Il y avait cependant quelque chose entre eux,
quelque chose que Tharshi ressentait et dont elle
ne parla jamais à Jegan : elle n'aurait pas dû se trouver sur l'estrade. Il avait vu un visage qu'il pouvait
aimer, mais ce visage appartenait à deux femmes.

À Ariyalai, tout le monde vivait en couple hormis Tharshi. Malgré la mort de son mari qui l'avait laissée seule avec huit enfants, personne n'éprouvait de compassion pour elle : un homme l'avait aimée. C'est une histoire que mon père connaît aujourd'hui, mais il a décidé de ne pas croire aux diktats du destin comme sa mère. Tharshi avait une sœur jumelle et, le jour où elle s'était tenue sur la scène d'un collège de jeunes filles de Jaffna pour réciter son texte, elle occupait une place qu'elle ne considérait pas comme étant la sienne.

Lors de ce récital annuel, les jeunes filles de l'établissement chantaient et déclamaient des passages d'œuvres classiques et sacrées. Les écolières concouraient pour un prix, une somme d'argent qui devait être dépensée en livres. Cette année-là, Thevayani et Tharshi avaient douze ans et elles faisaient plus que leur âge. Leur ressemblance presque absolue était extraordinaire. Elles avaient un visage ovale à belle ossature, une longue natte, des yeux en amande, un grand front, une bouche obstinée.

Thevayani, surnommée Kunju, l'aînée de quatre minutes, était un peu plus grande, mais leur père, le veuf Ragavan, était le seul capable de les différencier. Kunju était la plus intelligente des deux, Tharshi la plus calme. Elles avaient une démarche gracieuse et assurée qui rappelait celle de leur mère à Ragavan. L'une et l'autre souhaitaient devenir *pala-pundithai* ; elles aimaient lire et voulaient participer au concours cette année-là : Kunju, l'une des meilleures élèves de l'école, croyait pouvoir gagner. Leur père déclara qu'il était préférable que seule l'une des deux se présente car l'idée d'une rivalité entre sœurs lui déplaisait. Elles posèrent sur lui des yeux pleins d'espoir. Laquelle choisirait-il ? Il réfléchit un instant et soupira. Les empêcher de concourir l'une contre l'autre signifiait qu'il devait en favoriser une.

Hésitant, il regarda ses deux adorables filles qui lui ressemblaient tant. Enfin, il opta pour Kunju parce qu'elle avait vraiment des chances de l'emporter et qu'ils avaient besoin d'argent.

Tharshi n'en conçut pas de ressentiment, du moins ne se l'avouat-elle pas et personne ne put le percevoir. Elle écouta sa sœur s'entraîner jusqu'à ce que la récitation fût parfaite. Une semaine avant le concours, les jumelles décidèrent de faire une répétition en costume. Tharshi prêta à sa sœur ses bijoux en diamant : des boucles d'oreilles, un collier et un *mukkutti* – un brillant pour le nez. Elle avait tressé une guirlande d'hibiscus qu'elle entrelaça dans la longue torsade des cheveux de Kunju à qui Ragavan avait donné l'un des saris de leur mère. C'était son premier vrai sari, un honneur pour une fille de son âge qui, d'ordinaire, ne portait que l'uniforme de l'école, une simple robe ou un pagne. Tharshi repassa la soie pour sa sœur qui s'en drapa. Comme elle n'avait ni le coup de main ni de mère pour l'aider, elle dut s'y reprendre à plusieurs reprises, s'appliquant à refaire les plis jusqu'à ce qu'ils soient impeccables et que l'étoffe épouse sa taille. Elle glissa de lourds bracelets d'or à ses poignets, tourna le *mukkutti* du côté le plus brillant de sorte

qu'une étoile étincela sur son nez. Tharshi remit
une boucle folle en place, ajusta le sari jusqu'à ce
qu'il tombe parfaitement sur le corps de sa sœur,
plus élancé, plus élégant que le sien.

Comme le passage à réciter était extrait d'un
texte sacré, elles se rendirent au temple pour la
répétition. De la véranda de la maison, leur père les
regarda marcher main dans la main. Il dut faire un
effort pour se rappeler que ses filles, aux traits mer-
veilleux, presque identiques et pourtant différents,
n'avaient que douze ans.

Ganesh, le Dieu de l'étude et de la chance, jeta un regard à Kunju, bénissant son travail. Elle s'en sortit admirablement. Des quatre coins du temple, les prêtres occupés à laver et habiller les dieux l'écoutèrent et la bénirent aussi. Kunju était éblouissante. En l'observant, Tharshi fut convaincue qu'elle serait la vedette et qu'elle gagnerait le prix. Comment en serait-il autrement ? Les diamants de Tharshi étincelaient sur Kunju qui ponctuait sa déclamation de gestes majestueux. Sa voix cristalline était exquise. Dans son esprit, Tharshi vit la scène : les femmes du premier rang sanglotaient dans leur mouchoir, les hommes toussaient pour dissimuler leur émotion. Puis les juges échangeaient des signes d'approbation compassés et des cigarettes, marmonnant à la ronde que la fille de Ragavan était vraiment remarquable.

Les choses ne se déroulent pas toujours selon le plan établi. À fortiori un Mariage. À leur retour à la maison ce soir-là, les jumelles, grisées par la perspective du succès de Kunju, voulurent réciter des prières. Aussi emportèrent-elles dans le vestibule la lampe à huile ; au moment où Kunju posait celle-ci par terre, sur la natte, devant l'autel domestique, la bordure du sari de sa mère prit feu. La flamme courut sur la soie comme une araignée vorace aux pattes démesurées, lécha sa tresse, s'approcha de son visage et de ses immenses yeux noirs. Comme une main caressante, elle lui enlaça la taille et l'embrasa tout entière.

Dans son souvenir, Tharshi verrait toujours le feu se déployer à une vitesse qui aurait dû lui permettre de l'éteindre. En réalité, elle avait vu brûler son reflet consumé de lumière à la manière d'un soleil miniature. Le hurlement était une distorsion cauchemardesque de la voix cristalline avec laquelle Kunju avait déclamé plus tôt dans la soirée. Un épouvantable râle. Et Tharshi qui hurlait aussi, entendit plutôt qu'elle ne sentit le bruit de ses pas tandis qu'elle courait vers le puits, appelant son père à cor et à cris.

Kunju mit très longtemps à guérir. Et elle ne se rétablit pas vraiment. De telles brûlures laissent des cicatrices. Kunju, dont on avait loué la beauté, était défigurée. Les jumelles ne furent plus jamais identiques. Son teint avait perdu tout éclat, sa bouche n'était plus charnue. C'était presque insoutenable de regarder les sœurs côte à côte. Le feu avait brûlé le bras droit de Kunju, il était violacé, il n'en restait pratiquement que l'os. Les flammes s'étaient attaquées à son visage, avaient tordu sa joue gauche, modifié le contour d'un de ses yeux. À la vue de sa fille aînée de quatre minutes, sa préférée, Ragavan pleurait. Que deviendrait-elle ? Il ne parvenait pas à plonger le regard dans les yeux sombres de sa fille, le seul élément de son visage encore mobile. Kunju aurait besoin de soins particuliers pour le restant de ses jours. Son visage serait un fardeau pour les hommes qui auraient pu l'épouser.

Kunju aurait dû être sur la scène. La Chérie. L'Adorée. La Bien-aimée. Voilà ce que signifiait son nom. En vérité, c'était celle qu'il préférait. Tharshi et Kunju, des jumelles identiques. Semblables et pourtant différentes. Nous mentons à ceux que nous aimons le plus. Nous mentons à cause d'eux.

Et les choses se passèrent comme Tharshi l'avait imaginé : sa voix cristalline et exquise résonna aux quatre coins du vaste préau sans s'altérer. Les femmes du premier rang sanglotèrent dans leur mouchoir, les hommes toussèrent pour dissimuler leur émotion. Elle se mua en Kunju, parla comme Kunju, rejeta sa tête en arrière comme Kunju. Puis les juges échangèrent des signes d'approbation compassés et des cigarettes, marmonnant à la ronde que la fille de Ravagan était vraiment remarquable. D'autres spectateurs furent impressionnés. L'un en particulier. Jegan, qui s'était rendu à la représentation sur un coup de tête, s'en félicita, sans quitter des yeux le visage aux traits ciselés de Tharshi.

Jegan vécut sa vie comme un roman. Plutôt comme un poème épique car le roman n'est pas un genre littéraire d'origine tamoule. Il tomba amoureux, non de la jeune fille qu'il voyait sur scène, mais de celle qu'il imaginait qu'elle deviendrait, de la promesse d'épanouissement en un certain type de femme que recélait sa voix. De même, des années plus tard, Murali, percevant l'avenir de Vani dans la structure de son visage, tomba amoureux d'elle et de celle qu'elle deviendrait. Tharshi n'avait que douze ans. Mais si Jegan fermait les yeux, il la voyait vivre près de lui. Son allure indépendante lui plaisait infiniment. Elle n'aurait jamais besoin de lui – ça tombait bien, il ne le souhaitait pas.

Au lieu d'envoyer sa famille comme le voulait la coutume, Jegan alla en personne voir le père de Tharshi, le lendemain. La différence entre les deux hommes était frappante : Jegan, bien habillé, avait les yeux écartés, le teint brun clair. C'était un fonctionnaire, Ragavan un paysan. Jegan parcourut la maison d'un regard curieux et Ragavan retint son souffle.

Lorsque Jegan lui expliqua les raisons de sa visite, Ragavan hocha lentement la tête. Il n'était pas question d'accepter sur-le-champ la demande de Jegan. C'était presque trop beau pour être vrai que cet homme veuille épouser Tharshi, qu'il la trouve si belle. Mais Ragavan ne pouvait oublier Kunju qui dormait seule dans une chambre, le visage brûlé, les yeux trop secs pour pleurer. Ragavan scruta Jegan, il comprit que c'était une chance cependant qu'un goût de cendres lui emplissait la bouche.

Quand son père décréta qu'elle épouserait Jegan, Tharshi inclina la tête. Kunju, elle, sourit, du moins la moitié de son visage qui le pouvait encore. Elle avait entendu la conversation entre les deux hommes. Jegan paierait pour la fin des études de Tharshi, qui deviendrait la femme d'un fonctionnaire. Le prix, l'éducation, le mari et la promesse lointaine d'une maison prestigieuse dans leur village, tout cela reviendrait à sa sœur.

Au terme de la première semaine, Kunju s'opposa à ce que Tharshi, qui s'était occupée d'elle jusqu'alors, continue à oindre ses plaies. Tharshi alla coucher dans une autre chambre que celle qu'elles partageaient depuis toujours. Seule dans une pièce plongée dans la pénombre, Kunju se massa elle-même, dévissant le bouchon du flacon d'huile à petits tours calibrés. Chaque jour, elle bougeait de quelques pouces supplémentaires. Un jour, elle leva les bras et les baissa. Un autre, elle écarta le rideau pour laisser entrer un peu de lumière. Au bout d'un certain temps, elle s'entraîna à marcher. Lentement, elle s'attela aux tâches domestiques mettant deux fois plus de temps à les effectuer à cause de sa raideur. Sans mot dire, Tharshi regardait Kunju qui sentait brûler en elle quelque chose qu'elle ne voulait pas nommer. Tout le monde était au courant de ce qui lui était arrivé, quelques proches avaient même tenté de lui rendre visite, mais elle avait refusé de les recevoir. Aussi, personne ne l'avait vue.

Et puis, enfin, parce qu'elle savait qu'elle ne pouvait pas s'y soustraire et que Ragavan l'y avait contrainte, elle sortit de la maison et traversa le village.

Le jour où son père lui demanda de faire une course au village, elle commença par le dévisager avec incrédulité. La bouche de Ragavan se tordit tandis qu'il appelait Tharshi. Kunju tendit sa main brûlée vers le bras de son père, pour l'arrêter. Il tressaillit. Le percevant, elle en fut blessée mais feignit ne pas avoir remarqué son mouvement de recul.

« J'y vais », dit-elle.

Quelques temps auparavant, elle avait prié son père de décrocher le petit miroir de sa chambre. Ce jour-là, elle se rendit dans celle de sa sœur – Tharshi n'était pas là – et regarda son reflet dans la glace. Si elle devait sortir, elle ne pourrait dissimuler son visage et il n'était même pas question d'essayer. Elle releva ses cheveux. Le visage défiguré était à nu, dévoilé. Des trous irréguliers perçaient ses oreilles là où on avait arraché les diamants de Tharshi. Sa peau était couleur de cendre chaude. Elle sortit et descendit au village.

Tandis qu'elle marchait sur la grande route, il lui sembla entendre les passants s'arrêter et tourner la tête. La métamorphose était tellement saisissante que son visage attirait davantage les regards qu'à l'époque de sa beauté. Comme elle avait perdu la faculté de rougir ou de montrer sa honte, les gens ne pouvaient deviner ce qu'elle ressentait. Sa bouche était pétrifiée et ses sourcils, figés en un arc déchiqueté, exprimaient aussi bien la colère que l'interrogation. Elle eut l'impression d'être à nouveau la proie des flammes mais c'étaient les yeux des gens autour d'elle qui la brûlaient. Une curiosité glaciale et une compassion intense se reflétaient dans ces yeux qu'elle connaissait depuis toujours et qui ne la reconnaissaient pas.

À son retour avec ce que son père lui avait demandé de rapporter, celui-ci l'attendait sur le pas de la porte. Leurs regards se croisèrent. Il tendit la main, lui effleurant le visage pour la première fois depuis la catastrophe. Sa joue était devenue rugueuse ; elle avait oublié jusqu'à la sensation d'un contact physique. Alors Kunju comprit qu'elle allait franchir le seuil de la maison pour la dernière fois. L'idée de sortir à nouveau lui était intolérable de même que celle qu'on l'ait vue ainsi. Sa défiguration était irrévocable. Sa solitude aussi.

Kunju rendit sa souffrance invisible. Chaque jour, elle vivait avec, respirait son parfum, goûtait son amère saveur. Chaque jour elle aimait sa sœur. Chaque jour, elle haïssait sa sœur. Trois ans plus tard, Ragavan emmena Tharshi pour qu'elle épouse Jegan ; Kunju resta seule dans la maison où elles avaient grandi ensemble. Des jumelles.

Jegan et Tharshi avaient presque une génération d'écart. Ils n'y accordèrent aucune attention. Simplement et aisément, Tharshi aima Jegan qui l'aima. C'est ainsi que les Mariages Arrangés devraient fonctionner. Elle n'évoqua jamais celle qui aurait dû se tenir sur l'estrade ce soir-là, mais il avait entendu l'histoire de sa sœur, elle circulait dans le village. Était-elle la jumelle que le destin avait choisie pour lui ? Qui pouvait le savoir ? C'était la femme qui lui convenait. Il n'y avait rien à faire parce que personne n'était responsable. À l'enterrement de Jegan, Tharshi, debout sous l'arbre au sommet de la colline, rejeta sa tête en arrière, imitant une fois de plus, inconsciemment, la sœur dont la beauté et la voix auraient pu – si les choses s'étaient passées autrement – s'emparer du cœur innocent de Jegan des années auparavant. À l'époque de la mort de son mari, la tresse de Tharshi était déjà d'une blancheur de neige, bien que son visage fût encore celui d'une écolière, frais et lisse. Sa vie avait pris un tour imprévisible lorsqu'il y était entré ; son cœur s'était inexplicablement ouvert pour le recevoir. Comme il l'avait pressenti, il épousa une jeune fille et elle était devenue une femme qui n'avait pas besoin de lui. Elle continuerait à élever ses enfants sans lui. Mais elle l'aimait. Le feu avait consumé deux êtres qu'elle aimait.

Tharshi : elle avait beau ne pas en avoir touché un mot à ses enfants, ils s'aperçurent que, pour elle, la mort de leur père était dans l'ordre des choses. Elle partageait leur tristesse, non leur colère. Murali ne comprit que des années plus tard que, pour elle, la mort prématurée de Jegan était le prix à payer pour l'avoir épousé. Elle avait soldé sa dette. Il y avait une pléthore de pères fiers de leur fils à Ariyalai. Désormais, Murali, son fils orphelin de père, tentait de devenir médecin. Pas ceux qui apportaient des herbes et psalmodiaient des prières mais ceux qui raisonnaient, qui évaluaient, observaient et ne se fiaient qu'à ce qu'ils voyaient. Même à cette époque, Murali ne croyait ni au destin ni à l'*ajurveda*[1]. Il cherchait des certitudes : une science.

Il rêvait d'être cardiologue. Il pensait au petit garçon circonspect qu'il avait été. À la mort dans son sommeil de son père. À sa mère qui s'était

---

1. Médecine indienne traditionnelle.

réveillée comme si elle s'y attendait. Aux membres de sa famille et à leurs cœurs. On lui fit remarquer que ce n'était pas une profession lucrative. « Aie le cran de t'atteler à une réalité plus concrète que celle des cœurs, celle du sang ! » lui conseilla-t-on ! Au début, il n'en eut aucune envie. Puis il pensa à l'oncologie.

Il ne comprit que bien après que le choix de cette spécialité n'était pas seulement celui d'une branche de la science médicale, mais celui d'une inféodation permanente aux paysages de son enfance. Un lieu où tout pouvait s'écrouler, où la moindre défaillance mettait en lumière une fêlure à déceler. Il n'était pas uniquement question du sang, il s'agissait de la disposition perpétuelle du corps à trahir. Il n'était pas uniquement question d'une valve ou d'une artère en bon état ou bouchée, il s'agissait de survie, d'un assemblage de pièces. Cela exigeait un plan de bataille. Comme un nuage, le cancer pouvait s'évanouir à l'horizon ou fleurir, pour peu que sa tentative d'expansion la plus subtile ait été négligée par des yeux inattentifs. Le moindre souffle était susceptible de le décaler d'un millimètre qu'on paierait des années plus tard. Pour l'oncologiste, tout était un champ de mine potentiel à analyser et disséquer, le corps une bombe prête à exploser. Aussi s'exerça-t-il à aborder le corps humain de la même façon qu'une bombe, conscient que la moindre erreur aurait une conséquence. Il avait appris à aimer l'étude qui mène à la connaissance, la façon dont on diagnostique une maladie à partir des symptômes comme on détecte un squelette à partir d'os. Un corps souffrait des variations d'humeur et pouvait même s'effondrer d'angoisse, mais sa défaillance, au bout du compte, était le plus souvent de l'ordre de la pure, quoique infiniment complexe, mécanique. Contrôlable. Réparable. C'est cela qu'il apprendrait à manier, lui qui n'avait jamais su se servir de son corps. L'oncologie exigeait une maîtrise absolue, aboutissant à la pulsation rythmée d'un cœur qu'il parvenait à réguler.

Murali avait choisi cette profession, mais il n'était pas facile d'entrer à la faculté de médecine au Sri Lanka. On n'y admettait que deux cent cinquante étudiants au concours annuel auquel cent fois plus se présentaient. En tant que membre de la minorité tamoule du Sri Lanka, il devait obtenir des résultats encore meilleurs car il y avait des quotas. Comme tout le monde, il échoua la première fois et n'en fut ni très surpris ni très déçu. Il se représenta l'année suivante et réussit.

L'université qu'il avait choisie se trouvait à Peradeniya, très loin d'Ariyalai, près de Kandy, dans les hautes montagnes où il faisait froid. Il s'y rendit en train, seul. C'était un jeune homme mince au teint sombre, portant une petite valise marron d'une taille bien suffisante pour contenir sa garde-robe. Il alla à pied de la gare au campus, seul. La lumière du jour était si éblouissante qu'il plissa les paupières. Après s'être inscrit, il emporta sa petite valise marron dans la chambre qu'on lui avait attribuée, si minuscule qu'il ne déballa pas ses affaires pour éviter de se cogner contre les murs.

Il descendit, seul. Il était l'un des premiers étudiants, les autres n'étaient pas encore arrivés. Il aimait être en avance pour faire un repérage des lieux avant d'y pénétrer. La chaleur régnait dans la salle principale, nue et imposante dans sa vacuité. Murali retint instinctivement son souffle, perdant tout à coup confiance en lui. Il n'avait que dix-huit ans. S'il fermait les yeux néanmoins, il entendait les murmures de son cœur, et les souvenirs des murmures de son cœur.

Les quinze premiers jours à la faculté de médecine furent un enfer. Il se rappellerait plus tard son dégoût à la vue du premier cadavre. Distrait par les rituels d'initiation et l'humour macabre des étudiants, il ne parvenait pas à faire le lien entre l'ancien être humain sous ses yeux et lui. Il fallait bien le voir comme un ancien être humain pour s'initier à la tendre caresse du scalpel, pour découvrir la façon dont une lame se fraie un chemin dans une colonne vertébrale, écarte la peau, révèle muscles et tendons. Tous les corps se ressemblent sous certains aspects de leur géométrie et, pour qu'un jeune médecin puisse le percevoir, il faut que le corps soit tout le monde et personne à la fois. Un ancien être humain, c'était ainsi que Murali y pensait. Il portait son père défunt dans son cœur depuis de nombreuses années, un fardeau difficile à déposer. Il trouva dans la dissection et l'étude une intimité étrange avec ces morts qui n'étaient pas les siens, mais ceux d'autres personnes. Beaucoup d'étudiants qui n'avaient jamais vu de cadavre auparavant restaient

bouche bée, fascinés devant celui qu'on leur attribuait. Certains étaient malades. Il en entendait
vomir à l'autre bout de la salle. Murali, lui, pensa
au visage serein de son père mort, la première fois
qu'il se pencha, impassible, sur un corps. C'était la
première épreuve : regarder le corps et faire en
sorte qu'il ne soit personne. Un ancien être
humain.

On lui avait attribué comme « camarade de cadavre » un autre garçon originaire de Jaffna qui s'appelait Murugan, son ami et compagnon d'études
depuis des années parce que son nom venait juste
après le sien sur la liste alphabétique. Ni l'un ni
l'autre ne furent malades pendant la première
séance. Ni l'un ni l'autre n'ouvrirent la bouche. On
ne leur donna aucune indication formelle ou ver-
bale durant les premières heures, les laissant seuls
pour faire connaissance avec le corps. Au cours de
ces trois heures précédant l'arrivée des assistants,
Murali apprit à aimer le corps qu'il jugeait imparfait depuis toujours, peut-être parce que le premier
auquel il avait eu affaire était le sien. D'innombrables possibilités de désastre. Un millier de pièces
dont aucune n'était infaillible. Ce fut pendant ce
laps de temps dans la grande salle plongée dans le
silence qu'il se rendit pour la première fois compte
à quel point tout pouvait fonctionner à la perfec-
tion : la synchronie des membres et des ligaments,
l'élégance des jointures. Il s'adressa silencieusement au cadavre : *Comment allez-vous, monsieur ?*
Quel plaisir de rencontrer le corps ! Ces doigts
avaient été cassés un jour. Il les toucha avec ses
gants et s'aperçut, en les comparant, que les mains

étaient beaucoup plus grandes que les siennes. *Peut-être ont-ils été cassés quand vous étiez jeune ? Vous avez une cicatrice dans le cou. Vous êtes-vous coupé en vous rasant ou en vous battant ? La calvitie vous guettait. Vous aviez du diabète. Vous préfériez prendre appui sur votre jambe droite. Vous étiez marié, une femme vous aimait.* Il y avait encore une alliance à l'annulaire inerte du cadavre. Ainsi soliloquait Murali, à peine conscient de l'odeur d'eau de Cologne servant à ranimer un étudiant qui s'était évanoui. Murali, lui, ne perdait plus connaissance quel que soit son malaise – c'était une question de principe.

Dans ce pays, à cette époque-là, l'initiation était nommée « mise en boîte » et non bizutage. Une expression plus civilisée, enfin peut-être. Murali observa et participa à ces évènements non seulement parce qu'il n'avait pas le choix, mais parce qu'il ne pouvait s'empêcher d'être fasciné. Il finit par comprendre l'addiction que ces pratiques pouvaient générer qu'on en soit l'instigateur ou le spectateur. Il fallait une force qu'il n'avait jamais eue ni souhaité avoir. Ces garçons n'étaient cependant pas cruels, et il savait qu'il se plierait sans difficulté aux directives des étudiants en médecine plus âgés. Plus tard, lorsqu'il serait père, le bizutage l'inquiéterait. Pour l'heure, seul comptait le visage glacé en dessous de lui.

« Murali », l'interpella l'un des anciens. Il leva les yeux dans un nuage de formaldéhyde, ses gants dégouttant de solution saline.

« Oui monsieur », répondit-il promptement et poliment, avec un avant-goût de sucre dans la bouche.

« Rends-toi auprès du cadavre numéro 7 et demande en mariage la fille qui s'en occupe. »

Murali posa son scalpel. La fille du cadavre numéro 7 le regarda, elle fit craquer un os friable de son cadavre dont elle joignait les mains sur la poitrine. D'accord, se dit-il, d'accord. Il était sûr qu'ils l'avaient prévenue. Murugan le fixa, dans l'expectative. La vaste salle, qui résonnait un instant auparavant de bavardages, devint soudain silencieuse. La jeune fille continuait de lever et baisser son scalpel, entaillant l'épaule de son macchabée de coupures superficielles, nerveuse d'être devenue le point de mire. Il la connaissait un peu et s'excusa du regard avant de l'aborder. Puis il sourit gaiement.

« Comment vas-tu ?

— Bien, bien, dit-elle, toujours embarrassée, tripotant une de ses boucles d'oreilles.

— Tu es ravissante dans cette blouse », hasarda-t-il.

Elle gloussa, surprise malgré elle.

« Veux-tu m'épouser ? » lança-t-il d'une voix volontairement sonore pour que tout le monde entende.

Elle laissa échapper un autre petit rire et marqua une pause avant de répondre :

« Oui. »

Il ne la revit plus après être sorti de la faculté de médecine, mais il continua à penser à elle, non sans affection, comme à la jeune fille qu'il avait feint de demander en mariage. Rien ne fut aussi facile que ces trois premières heures. Les étudiants qui avaient échoué lors de leur première tentative au concours d'entrée avaient autant de chances d'être recalés aux examens finaux et d'avoir à faire six mois d'études supplémentaires avant d'être autorisés à repasser les épreuves. Murali était déterminé à ne pas en faire partie. Il avait beau avoir l'impression de comprendre le corps et ses machinations, il voulait en être sûr. Les semaines avant l'examen, il s'enferma dans la bibliothèque, sa tête sombre penchée sur ses livres, une tête sombre parmi une pléiade d'autres.

Tout le monde savait que le plus difficile n'était pas les épreuves écrites mais l'examen clinique, au cours duquel l'étudiant examinait trois patients. Il avait le droit de passer trois quarts d'heure avec chacun d'eux, puis il avait un quart d'heure pour exposer son diagnostic et suggérer un traitement. Il fallait faire très attention au minutage afin d'avoir le temps d'écouter les antécédents médicaux et celui de l'auscultation : le corps décrit avec les mots du patient puis avec les vôtres. Aussi simple que cela paraisse dans l'énoncé, Murali savait que c'était un leurre. On se décarcassait pour dénicher des patients atteints de maladies obscures. En réalité, ce n'était pas un problème pour les examinateurs qui passaient leurs journées à enseigner et leurs nuits en consultations bénévoles dans les villages des environs. À l'approche des examens, ils écumaient les marchés, les rizières et les petits cabinets médicaux d'où ils ramenaient des patients étranges dont le corps se détériorait d'une manière aussi innovante que mystérieuse. Ils ne parlaient pas tous anglais ; la plupart étaient cinghalais et, bien qu'on eût droit à un interprète, aucune rallonge de temps n'était accordée pour une telle extravagance. Murali se jura de s'en passer.

Sa première patiente, une fille d'une extrême beauté, était indubitablement stérile. Un diagnostic plutôt simple à établir qu'il fut soulagé de ne pas avoir à annoncer – elle était manifestement au courant. Le suivant était un homme atteint d'insuffisance rénale et, là aussi, il termina en avance ce qui lui valut un sourire d'approbation de ses professeurs. Quand on lui amena le troisième, il respira profondément car il savait que, selon la tradition, c'était toujours le cas le plus complexe, le dernier obstacle à franchir. En l'occurrence, il s'agissait d'un garçon, pas tellement plus jeune que lui mais visiblement plus pauvre. Il se hissa sur la table d'examen. Murali remarqua que ce petit effort, celui de se soulever avec les mains, le fatiguait excessivement et reconnut un symptôme dans cet épuisement. Le jeune homme se tenait très droit malgré tout.

« Qu'est-ce que tu as ? » lui demanda Murali, qui l'invita d'un geste à s'allonger. Tout en l'auscultant avec douceur, il l'écouta décrire une inhabilité à respirer, et son cerveau suggéra de l'asthme ? Non, ç'aurait été trop facile. Les gens attrapaient encore la tuberculose. La respiration du garçon était haletante et saccadée. Murali exerça une pression sur son thorax. « Oui, c'est là », affirma le garçon. Et Murali décida, mal à l'aise, qu'il s'était cassé les côtes, peut-être perforé un poumon. Son estomac gargouilla – il avait été incapable, par nervosité, d'avaler quoi que ce soit le matin, et la sensation qui n'avait été jusquelà que de la faim l'envahit à tel point qu'il lui sembla qu'elle maintenait tout son être dans une bulle d'incertitude. Il avait perçu quelque chose de familier chez ce garçon, qu'il n'arrivait pas à mettre en mots. Ce qu'il voyait ne lui plaisait pas : des points faibles impossibles à nommer, des pistes évanescentes. Les corps ne fonctionnent pas ainsi. La défaillance ne se trouvait pas seulement chez le patient mais chez le médecin. Il aurait dû être capable de découvrir de quoi il s'agissait. Les erreurs du corps sont tangibles.

Lorsqu'il donna son diagnostic final aux examinateurs, ces derniers le dévisagèrent, les sourcils froncés. « C'est votre dernier mot, monsieur Murali ? demandèrent-ils. Il vous reste un quart d'heure pour examiner le patient. »

Murali savait que c'était inutile : le corps de ce patient ne révélerait rien de plus en un quart d'heure, même s'il était possible qu'il y ait quelque chose d'autre. Ses mains, moites à présent, glissèrent sur le stéthoscope qu'il remettait autour de son cou. Il hocha lentement la tête pour confirmer qu'il avait fini et eut un haut-le-cœur en lisant la déception dans le regard des examinateurs.

« Nous vous verrons au prochain trimestre, monsieur Murali, dit le président du jury.

— Qu'est-ce que c'était ? demanda Murali. Qu'est-ce qui m'a échappé ?

— Vous avez raison au sujet des côtes et du poumon perforé, mais vous avez omis un second diagnostic, un élément sous-jacent. »

Une porte qui était restée fermée dans l'esprit de Murali s'entrebâilla lentement. Il crut percevoir un rai de lumière.

« Vous avez pris son pouls, Murali, ajouta le médecin le plus âgé. Je ne comprends pas que vous n'ayez pas entendu le souffle au cœur. »

Lorsqu'il repassa l'examen six mois plus tard, il fut reçu à l'épreuve clinique avec de telles notes qu'un nouvel examinateur voulut lui accorder une mention. Mais ce n'était pas autorisé si on avait échoué auparavant. Murali ne s'en formalisa pas, l'époque où une reconnaissance de ce genre aurait eu de l'importance était révolue. Son départ approchait, il se préparait à dire adieu aux camarades et professeurs qu'il avait appris à aimer.

Il quittait des choses et des gens, des inconnus devenus ses amis dont les visages ressemblaient au sien, dont l'humour léger était vraiment de l'humour à la fois britannique et sri lankais. D'ailleurs, la rondeur généreuse et languide du *U* anglais, la façon dont les langues britanniques caressent le ventre d'un mot ne tarderaient pas à lui manquer. S'il pensait en tamoul dans sa jeunesse, bien qu'il eût fait toute sa scolarité en anglais, il prendrait conscience au fil des ans qu'il rêvait en anglais, non dans l'anglais américain de sa fille. Il rêvait de l'humour tendre, des caresses des langues britanniques, du visage glacial d'un cadavre sous ses yeux. Ce corps parfait.

En fin de compte, ce fut la langue qui le mit sur sa voie. Avant sa nomination dans un hôpital public, il avait un dernier examen à passer, un test de compétence en cinghalais, la langue officielle de l'île, depuis 1956 – le décret de 1958 sur le tamoul était passé aux oubliettes depuis longtemps. Pour avoir le droit de poursuivre leurs études, les Tamouls devaient obtenir de meilleurs résultats à ces tests que leurs concitoyens cinghalais. Cette exigence du gouvernement n'inquiétait pas outre mesure Murali, il aimait parler le tamoul mais maîtrisait le cinghalais. Cependant, à peine se retrouva-t-il dans la salle des examens de la région et eut-il ouvert le livret, qu'il eut un malaise et la tête vide. Les minutes qui s'égrenaient sur l'horloge lui firent penser aux battements de son cœur, et il fut persuadé que les étudiants qui peinaient dans cette salle silencieuse entendaient son cerveau s'emballer en tamoul. Il avait beau sonder le puits de son esprit, il ne retrouvait pas un mot de cinghalais, une langue qu'il connaissait depuis toujours. À la fin de l'examen, il se leva tranquillement et tendit sa feuille immaculée au surveillant.

Murugan le rejoignit à la sortie ; ils firent le chemin ensemble, s'arrêtant à la fontaine publique. Plus jeunes, ils avaient parcouru cette route nu-pieds. Maintenant qu'ils étaient adultes, ils portaient des pantalons et des mocassins. La poussière que soulevaient leurs pieds fit tousser Murali à qui Murugan tendit la puisette. Après avoir bu d'un trait, il se versa sur la tête le reste de l'eau qui plaqua ses cheveux sur son front. Murugan l'observait.

« Qu'est-ce que tu as pensé du test ?

— Je l'ai présenté, répondit Murali.

— C'était difficile, pas vrai », affirma Murugan d'un ton sans réplique. Il cracha la feuille de bétel qu'il mâchonnait aux pieds de son ami.

« Je ne passerai pas d'autre examen de cinghalais, ajouta ce dernier en haussant les épaules, soudain furieux.

— Qu'est-ce que tu veux dire ? demanda Murugan, les yeux ronds.

— Je quitte ce pays », répondit Murali, le premier surpris par cette résolution nouvelle.

Il partait. Lorsqu'il en parla à sa mère, elle pleura. Elle ne l'avait jamais trouvé si inflexible. Elle ne pouvait pas savoir – il ne le savait pas non plus – qu'il s'entraînait pour un moment où il aurait vraiment besoin d'être inflexible. Il se préparait à être l'homme qui aimerait ma mère avant de l'épouser.

LA MORT S'APPROCHE DE NOUS

« Sur le front lumineux de cette femme,
mon pouvoir, qui terrifiait
fût-ce les plus redoutables ennemis
du champ de bataille, est anéanti. »

Tirukkural, chapitre 109, ligne 8.

Suthan : des dizaines d'années plus tard, un autre homme prend la décision d'épouser une autre femme. Qui pouvait savoir s'il l'aimerait et quand ? La question n'était pas là. Je le rencontrai pour la première fois environ une semaine après l'arrivée de mon oncle, lorsqu'il vint avec son père dans la petite maison du quartier de Scarborough à Toronto.

On nous avait annoncé qu'il était un peu plus âgé que moi. Il paraissait plus jeune, peut-être à cause de sa maigreur. Suivant la mode en cours chez les jeunes gens, il avait laissé pousser une petite touffe de poils sur son menton. Malgré ses oreilles un peu décollées, un défaut qu'accentuaient ses cheveux très courts, mal coupés, il était plutôt beau garçon. Il avait une petite bouche d'où sortirait une voix grave. Il se tint derrière son père, venu rendre visite au mien et à mon oncle. Les mains croisées derrière son dos, et pas enfoncées dans ses poches, il restait au seuil de la maison dans une attitude cérémonieuse, plutôt guindée pour un garçon de son âge qui avait, en outre, un statut au sein de notre famille.

Il ressemblait à son père, mais peut-être ne donnait-il cette impression que parce que sa mère n'était pas là. Je savais qu'elle était morte quinze ans auparavant. Après que j'eus ouvert la porte, son père s'attarda à l'extérieur et me dévisagea. Je compris qu'il me prenait pour sa future belle-fille.

« Bonjour, mon oncle, l'accueillis-je en anglais.

— Oh, alors tu n'es pas Janani », dit-il, sans cesser de me scruter. Un sourire se dessina tout à coup sur ses lèvres, et je me souvins de ce que mon père m'avait raconté à son sujet. Mon oncle n'en avait pas encore soufflé mot, en revanche mon père m'avait, comme toujours, dit la vérité, en tout cas ce qu'il tenait pour la vérité, ni plus ni moins.

« Cet homme, Vijendran, est très puissant à Toronto, m'avait-il expliqué. D'après des membres de ma famille qui vivent ici et le connaissent, il a passé des années à réunir des fonds pour les Tigres. Ce n'est pas une entreprise difficile parce que la plupart des Tamouls sont arrivés après ta naissance au Canada qui leur a donné asile à la suite des évènements de 1983, la période la plus catastrophique pour notre peuple. Peut-on reprocher à des réfugiés qui ont tout perdu – foyers, biens, êtres chers – d'être en colère ? »

Le mois et l'année de ma naissance, juillet 1983, des milliers de Tamouls étaient massacrés sans que leur gouvernement fasse quoi que ce soit. Je savais que ceux de ma génération considéraient ces jours comme les plus sombres de leur histoire même si certains n'étaient pas encore nés. Je savais que pour Suthan, le fils de Vijendran, cette date et ce qu'elle représentait était primordial. Je savais que Janani descendrait bientôt, revêtue d'un sari de ma mère, pour le rencontrer, et qu'ils se mettraient d'accord sur beaucoup de choses, entre autres sur la question des Tigres.

« Entrez », dis-je à Vijendran et Suthan. Ils enlevèrent leurs chaussures qu'ils laissèrent devant la porte comme c'était la coutume des Tamouls même en Occident.

J'appelai ma mère qui les accueillit dans l'entrée. Mon père la suivait. Ils serrèrent la main de Vijendran, puis celle de son fils. Il fallait attirer la chance pour un nouveau mariage dans un nouveau pays.

Le thé : Un rituel aux vertus civilisatrices. En quelque pays que ce soit, et quelle que soit l'heure, le thé restaure l'ordre et le calme dans un lieu où règne le chaos. Or les lieux où règne le chaos n'en ont pas forcément l'apparence. Ainsi, il peut exister dans un petit salon trop bien tenu de Toronto où sont réunies deux familles.

C'était le cas. Les hommes – mon père, Vijendran et Suthan – s'assirent autour d'une table en bois rutilante et j'allai aider ma mère dans la cuisine. Les Sri Lankaises essaient toujours, sans succès, d'insuffler l'ordre dans un monde d'hommes. Ma mère avait sorti son service de table indien : un petit bol en argent rempli de noix de cajou, un autre rempli de nouilles rôties, de noix pimentées et de lentilles et un troisième plein de *vadaï*[1] croustillants – mon père adorait ça mais elle ne lui en préparait pas parce que c'était mauvais pour la

1. Beignets aux lentilles jaunes et épinards.

santé. Pour ces personnages importants, ma mère avait mis les petits plats dans les grands ; je remarquai, dans la cuisine, la contraction de ses épaules, ses lèvres pincées. Elle n'aimait ni Vijendran ni son fils. Il m'avait fallu longtemps pour apprendre à la percer à jour derrière son masque de politesse. Il m'avait fallu voyager dans un autre pays pour percevoir ce qui la gênait, ce qui l'effrayait.

Elle me tendit le plateau chargé de nourriture.

« Demande-leur comment ils prennent leur thé. » Sur ces mots, elle se pencha pour attraper la bouilloire dans le placard.

J'emportai le plateau dans le salon et proposai les plats à chacun des hommes – d'abord Vijendran, puis son fils, enfin, mon père – avant de les disposer sur la table.

« Où est votre nièce ? demanda Vijendran à mon père.

— Va la chercher », me dit ce dernier.

Ce fut inutile. Elle descendit revêtue d'un des saris de ma mère, parfait pour l'occasion – lavande, orné de broderies discrètes. Même sans chaussures, elle était très grande et son teint semblait encore plus clair que le premier jour, sous la lumière crue de l'aéroport. Mon regard passa de Vijendran qui souriait d'approbation à son fils qui, l'air sévère bien que satisfait, était impassible. Ils se levèrent tous les deux. Voilà ce que font les hommes d'un certain milieu en présence d'une dame, songeai-je. À quelle époque sommes-nous ?

Janani baissa les yeux et sourit.

« Je vous présente ma nièce », déclara mon père.

Si peu désireuse que je fusse de prendre part à cette comédie, je ne pus m'empêcher de me comparer à ma cousine. Plus brune, plus petite, plus grosse, j'étais moins jolie. Moins Sri Lankaise. Moins Convenable. Moins modeste. Je portais un pantalon. Mes cheveux que j'avais coupés au début de l'été n'avaient pas encore repoussé. Janani, pensai-je, ressemblait à ma mère. Soudain, j'en fus certaine : Janani, forte de toute sa connaissance sur la violence, sa nature et ses conséquences ressemblait davantage à ma mère, si jolie et si sereine, que moi.

VANI N'EST PAS ENCORE MA MÈRE

« Ce que le destin nous refuse
ne peut être préservé,
Quelle que soit notre vigilance.
De même, ce que le destin a fait sien
ne peut être perdu
Quels que soient nos efforts pour le rejeter. »

Tirukkural, chapitre 38, ligne 6.

Vani : elle posa le pied sur l'escalator avec beaucoup de prudence parce qu'elle n'en avait jamais vu auparavant. Elle compta tout bas, *un, deux, trois, quatre, un, deux, trois, quatre,* et posa son pied droit, puis le gauche, sur les marches mécaniques. Elle se promit de rentrer au pays. Elle le croyait vraiment. Elle n'avait aucune intention de s'installer. Vani, qui n'était pas encore ma mère, empruntait un escalier roulant à l'aéroport.

Comme Murali, elle parle un anglais parfait, une des raisons de sa venue en Amérique. Elle a fréquenté une école dont l'enseignement était en anglais. Elle a appris et assimilé ce qu'on lui a enseigné. Mais elle ne peut oublier qu'elle est sortie d'un ventre tamoul pour arriver dans un pays et une famille tamouls.

Ce pays se souvenait encore des Anglais, partis l'année de sa naissance, la même année où l'Inde avait obtenu son indépendance. Cependant elle pense encore en tamoul. D'un pragmatisme extrême, elle est aussi très belle. Dans son monde, la beauté est une qualité commode mais secondaire : belle et alors ? Vani, qui n'était pas encore ma mère, n'a pas toujours été belle. Autrefois, ce n'était qu'une petite fille d'Urelu, un autre village de Jaffna. S'il n'est pas loin d'Ariyalai aujourd'hui, il l'était suffisamment du temps de son enfance pour que Murali et elle ne se croisent jamais. À Urelu, elle ne se distinguait pas par ses qualités athlétiques comme sa sœur aînée ni par sa personnalité ou ses convictions politiques comme Kumaran ni par sa beauté. Après tout, elle n'était pas encore Belle Et Alors.

C'était la plus jeune de trois enfants. Ma tante Kalyani était l'aînée, mon oncle Kumaran, le fils bien-aimé, le second, et ma mère Vani, la dernière. Sa bonté la caractérisait. Propre et méthodique, elle ne perdait jamais son temps. Elle est toujours comme ça : déterminée. Son nom signifie « vœu » ou « désir », ce qui lui convient parfaitement. Ma mère n'est pas née coiffée. La chance est quelque chose qui vous arrive or rien n'arrive simplement à ma mère. La chance implique une dose de passivité qui lui est étrangère ; elle ne la comprend pas et n'y succombe pas. Elle a construit sa vie à force de volonté.

J'ai beau savoir qu'elle avait l'intention d'y retourner, je ne peux que m'interroger sur les raisons qui la poussèrent à quitter le Sri Lanka pour se rendre en Amérique. Je connais l'histoire du départ de mon père, pas la sienne. Ma mère n'est pas du genre à se raconter ; une réticence dont je prends conscience maintenant, qui n'en est pas vraiment une, plutôt une façon d'être authentique, une absence d'égocentrisme. Cela ne lui vient pas à l'esprit de parler d'elle. Elle n'a tout bonnement aucune raison de le faire et ma mère ne fait rien sans raison. Comme toute sa famille.

« Décris-moi ma mère jeune, demandé-je à un de ses parents.

— Ça ne t'apportera rien », est la seule réponse qu'on me donne.

Voilà ce que je sais : à son départ du Sri Lanka, les membres de sa famille s'entassèrent dans un autobus pour aller lui faire leurs adieux. Elle avait environ vingt-cinq ans. Elle n'était pas encore belle, mais commençait à l'être ; elle n'était pas encore ma mère, mais de plus en plus près de le devenir. Elle découvrait une indépendance qu'elle ne s'était pas représentée et qu'elle ne désirait pas vraiment : l'autonomie par rapport à sa famille qu'elle aimait le plus au monde. D'ailleurs, cet amour ainsi que la nostalgie de sa vie familiale seraient connus de tous – moi comprise. Elle partait pour un autre pays parce qu'elle avait obtenu un visa, et qu'il était devenu difficile pour elle de vivre au Sri Lanka. Son séjour ne durerait que deux ans, se promettait-elle et promit-elle à sa famille. Mais peut-être savait-elle au fond de son cœur qu'elle ne rentrerait jamais.

Son amour de l'enseignement et des enfants – de leurs efforts pour se forger un caractère – avait présidé au choix de sa profession. Sauf que son pays n'était plus un lieu propice à l'enseignement ni aux enfants, mieux valait même ne plus en faire, pensait-elle sans le dire. Ses professeurs de la mission lui avaient obtenu un poste à New York. Un autobus rempli des membres de sa famille l'em-

mena à l'aéroport. Elle les embrassa. Elle aurait
aimé qu'ils l'accompagnent. Elle ne désirait pas
consciemment larguer les amarres. Ce qu'elle
avait été capable de construire au Sri Lanka avait
un caractère sacré. Elle ne s'en rendit compte qu'à
son départ – il n'est possible de prendre conscience
d'une perspective qu'au moment des adieux. Ce
fut vrai pour ma mère. Le caractère sacré de ce
lieu n'était pas une vertu qu'elle s'attribuait, elle
l'attribuait à son entourage, les gens qui l'avaient
traitée avec gentillesse, les sœurs de l'école religieuse qui lui avaient tout appris depuis sa petite
enfance jusqu'à ce qu'elle devienne institutrice, sa
famille qui l'avait couvée et aimée parce qu'elle
était la plus jeune et non parce qu'elle se distinguait pour quoi que ce fût d'autre qu'être Vani.
Cela leur suffisait.

Pour la première fois, elle comprit que cela ne
suffirait sans doute à personne d'autre. Elle quittait
une famille très religieuse, extrêmement unie et
traditionnelle. C'était – c'est toujours – une famille
qui respecte les cérémonies et s'oppose aux séparations. Si cette famille voyait la terre s'ouvrir sous ses
pieds, ma mère et ses frère et sœur nieraient l'évidence tout en se battant pour combler l'abîme.
C'est un comportement aussi admirable que destructeur. Ma mère est une femme qui pourrait voir
un incendie devant elle et affirmer qu'il n'existe
pas ; c'est une femme qui, par la force de sa volonté,
pourrait éteindre un incendie.

Dans la famille de ma mère, on s'identifie avant tout à l'honneur bien qu'on ne l'appelle pas ainsi. Il s'agit de l'honneur impersonnel d'un homme assassiné. Je ne savais pas qu'il avait été assassiné parce que lorsqu'on parlait de lui, on désignait toute la famille par son nom : tu es une Vairavan, m'affirmait-on. Je ne comprenais pas que c'était une allusion à cet homme, mort depuis des lustres à ma naissance. Depuis l'au-delà, il dominait la vie de tous les membres de cette famille qui désignait les liens entre eux par son nom. C'était le grand-père maternel de ma mère, qui avait six ans lorsqu'il mourut. En 1954. Ce fut leur initiation à la violence.

Il avait soixante-trois ans quand il fut tué. C'était un homme d'une telle bonté qu'ils parlaient de lui comme s'il était vivant des années après sa disparition anormale qu'ils n'évoquaient jamais. Pourquoi l'auraient-ils fait ? La façon dont il était mort n'avait pas d'importance, cela n'avait pas de sens, qui s'y intéressait ? Sa famille s'intéressait bien davantage au genre d'homme qu'il avait été. Plus tard, on m'assura qu'il avait été tué à cause de sa bonté. Je crois que ses enfants choisissaient de le présenter ainsi pour que ça devienne vrai. Peut-être était-ce la raison du départ de ma mère du Sri Lanka. Quel était ce pays où on pouvait commettre ce genre de meurtre ? On avait assassiné un homme, non parce qu'il était riche ou puissant – il n'était ni l'un, ni l'autre – mais parce qu'il était respecté.

Vairavan : il était receveur des postes. Il avait passé sa vie au service du gouvernement et de ceux qui lisent et écrivent. Une fonction qu'il avait remplie dans tout Ceylan, ainsi qu'on appelait l'île de son temps. À soixante et un ans, il avait pris sa retraite dans une ferme à Jaffna avec sa femme qui, elle aussi, avait la réputation d'être très vertueuse. Il rêvait de vieillir entouré de ses enfants et petits-enfants qui habitaient Jaffna ou dans les environs. Durant ses années de service, il avait appris la valeur de la discipline et d'une vie réglée. Aussi, même à la retraite, se levait-il à l'aube pour aller traire les vaches.

Je crois que les choses se passèrent ainsi : un matin, à son réveil, la journée promettait d'être très agréable, animée d'une petite brise. Le ciel envisageait de devenir bleu pâle, les champs étaient dorés, la saison des pluies s'achevait à peine, le temps des récoltes approchait. Je crois qu'il fit bouillir du lait, mit les feuilles de thé dans la théière et les laissa infuser, sans réveiller sa femme. Je crois que l'arôme du thé emplit la maison comme une bénédiction et qu'il en but deux tasses avant d'enfiler ses vête-ments.

Au moment où il sortait, le ciel, qui n'était pas encore clair, passait du noir à un bleu profond et commençait à oublier les étoiles. C'était le temps idéal pour travailler, car les étables pouvaient se transformer en véritables fours, où il est trop dur pour un vieil homme de rester à midi. Il se rendit dans les champs et déverrouilla la porte de l'étable. Il entendit les vaches se réveiller, les coqs chanter. La journée s'annonçait aussi agréable qu'il l'avait pressenti. Il était heureux d'être encore assez vigou-reux pour travailler à la ferme avec sa femme. Il sourit en pensant à elle, endormie. Ses mains se mirent à traire le premier animal, le lait coula chaud, fumant dans un seau qu'il avait placé sur le sol.

Quand il eut terminé, il prit le seau et ressortit. Le soleil venait d'apparaître dans le ciel. Sa sil-houette était l'élément le plus sombre à l'horizon. Il entendit sa femme bouger dans la maison ; à l'instant où il se préparait à lui rapporter le lait, un bruit lui parvint. Une bête égarée ou un chien explorant le jardin. Il y eut comme un bruit de pas lourd sur des feuilles sèches. Après avoir déposé le seau de lait sur l'herbe, avec précaution pour que rien ne se renverse, il contourna l'étable pour voir ce dont il s'agissait.

Sa femme le retrouva. Il gisait en sang dans les champs.

Comme il ne revenait pas, elle l'avait cherché silencieusement. Elle avait repéré son chemin sans difficulté, connaissant par cœur la forme de son pas puissant dans l'herbe. Elle ne s'était arrêtée qu'une seconde, saisie d'un mauvais pressentiment à la vue des premières traces sanglantes et de l'herbe aplatie de la prairie, derrière l'étable. L'inconnu qui avait traîné le corps lui avait laissé une piste sûre à suivre, un chemin balisé par deux lignes rouges dont elle voyait à présent qu'il aboutissait aux pieds nus et sanglants de son époux.

Ce visage chéri, qu'elle avait caressé et aimé, était lacéré jusqu'à l'os. La peau de son crâne avait été arrachée d'un côté. Ce corps, qu'elle avait caressé et aimé, était fendu de la gorge au ventre d'une entaille superficielle qui avait suffi à ce qu'il se vide de son sang jusqu'à en mourir. Si Murali avait été là, il aurait peut-être enfilé ses gants et murmuré tristement : *En fac, j'ai toujours eu horreur de la patho-*

logie. Peut-être aurait-il refermé les plaies du mort avec ses mains de médecin ayant appris si tard à aimer le corps. C'était la première étape : faire en sorte que le corps ne soit personne. Mais Murali n'était pas là, et c'était le corps d'un être humain.

L'arrière-grand-père, Vairavan, avait été très bel homme. Une certaine rigueur se dégageait de lui, qualité que mon père retrouverait en ma mère : une réticence à se laisser fléchir visible sur sa physionomie. Les enfants de Vairavan avaient appris à respecter par-dessus tout cette dureté – dont son regard conservait l'empreinte jusque dans la mort. Il avait vécu longtemps, pas aussi longtemps que sa femme l'aurait souhaité. Ce n'était pas encore un vieillard. Baissant les yeux, elle lui ferma les paupières de ses doigts. Elle glissa la main sous son menton mal rasé qu'elle releva. Elle songea à appeler à l'aide puis renonça. Une fureur mêlée de tristesse brasillait dans sa poitrine tandis qu'elle regardait son mari. Elle savait qu'il mourrait un jour. Mais ce n'était pas ce corps-là dont elle voulait garder le souvenir.

On n'inculpa jamais personne pour le meurtre de Vairavan. Il était si apprécié dans leur village d'Urelu qu'aucun habitant ne comprenait pourquoi on avait pu l'assassiner. Lorsque sa fille, ma grand-tante, me raconta ce qui s'était passé, le mot le plus éloquent qu'elle put trouver pour décrire son père fut « respectable ». Un homme qui avait été, comme tous les autres, un catalogue de petites préférences et manies quotidiennes, du genre de celles que j'accumule en recueillant des informations sur les personnes. Pourtant, elle ne trouva rien d'autre à dire que « respectable ».

Un homme fut traduit en justice et acquitté. Aucun membre de la famille de Vairavan ne se rendit au procès. Quelle importance ? Ni l'identité du meurtrier ni la façon dont il s'y était pris ne les intéressaient. Une seule chose comptait : ils avaient aimé leur père qui n'était plus. La mort n'était pas encore devenue une matière première malléable, elle n'avait que ce sens. C'était une initiation à la violence, avant que le gouvernement et les Tigres ne fassent de ce pays un lieu où la mort acquerrait des significations différentes.

Personne ne décréta qu'il fallait qu'il en soit ainsi, et pourtant les choix pour la construction de leurs vies furent tous liés à la pensée de cet homme qu'ils avaient aimé et qu'un inconnu avait tué. À cette époque, le meurtre était encore une exception, les disparitions n'étaient pas encore monnaie courante dans ce pays où le ciel envisageait de devenir bleu, où les champs regorgeaient de récoltes, où garçons et filles iraient à l'école dès le départ des Anglais. C'était une croyance générale. Alors, tout irait bien. Et s'ils se battaient, ce serait à coups de mots, mais il n'y aurait plus jamais d'assassinat. Ils croyaient que ce serait impossible or cela devenait de plus en plus possible.

Avant une guerre, il flotte dans l'air la même fragrance qu'avant un orage, une odeur émanant de la terre qui commence à s'ouvrir en sentant l'arrivée de la pluie. Leur père avait rêvé que les jeunes gens se marieraient et auraient des enfants comme lui, qu'ils travailleraient pour leur pays comme lui et qu'ils auraient de longues vies – ce qu'il n'avait pas eu. Sa mort prématurée fut sans doute pour la famille de ma mère à l'origine de la prise de conscience de l'ambivalence de leur environnement à la fois sacré et porteur des signes de l'imminence du désastre.

Peut-être sa mort fut-elle le moment où les choses se mirent à mal tourner. Et lorsque tout alla de travers, peut-être pensèrent-ils davantage à lui, à son corps bien-aimé gisant ensanglanté dans le champ où il avait été tué. Ou peut-être, à cause du genre d'homme qu'il avait été, ne pensèrent-ils pas à lui gisant dans le pré mais plutôt en train de marcher dans Urelu, le village où il avait été pleinement vivant. En grandissant, ils se rendirent compte qu'il leur était impossible de rester vivants très longtemps dans ce pays. Et ils partirent.

Ils s'étaient toutefois mariés avant. À deux exceptions près : ma mère, Vani, et sa tante, Mayuri. Ce fut par les expériences de ses jeunes tantes, les filles de Vairavan, que Vani se fit d'abord une idée du Mariage. Et elle ne le comprit que beaucoup plus tard.

Mariage Non Contracté : Mayuri, la tante de ma mère, s'apprêtait à épouser un cousin par alliance, Bala. Le docteur Balachandran. Un homme maigre à l'air un peu ahuri qui faisait plus jeune que son âge. Pétri de bonnes intentions, il avait une voix douce et portait des lunettes. Lorsqu'il commença à hanter, le soir, l'escalier de la véranda pour faire la conversation à ma tante, les oncles de ma mère en discutèrent entre eux. Au fil des semaines, au fil des mois, ils assistèrent à l'improbable épanouissement de leur sœur, provoqué par cette présence masculine. Mayuri était la plus difficile des femmes Vairavan ; intelligente mais peu disposée à s'adoucir pour plaire en société, elle était cassante, maussade et hargneuse. Ses frères et sœurs s'interrogeaient

sur les raisons qui poussaient l'aimable jeune
homme à vouloir l'épouser. Ils n'étaient pas les
seuls à avoir des doutes ; personne ne les trouvait
assortis mais, chaque fois que le docteur Balachandran apparaissait, le visage de leur sœur se déten-
dait tandis que sa voix perdait de sa stridence.

Les visites se poursuivirent si longtemps que les
frères et sœurs se demandèrent si Bala avait bien
l'intention de demander la main de Mayuri. Après
tout, c'était un cousin, et il pouvait ne s'agir que
d'un intérêt d'ordre familial. C'était pourtant
Mayuri qu'il venait voir systématiquement. Dès
qu'ils entendaient le bruit de ses pas dans l'allée
dallée, les frères et sœurs s'égaillaient dans la maison ou descendaient au village d'Urelu. Enfin, un
jour, le visage empreint de panique, il entra pour
parler à Vairavan qui ne donna pas son consentement, tout en promettant au jeune médecin de lui
faire part de sa décision. Bala s'en alla, s'attendant
à apprendre sous d'assez brefs délais que le Désir
de son Cœur était exaucé. Il savait que la prudence
était de mise de la part du père, ne serait-ce que par
souci de préserver une certaine dignité. Il aurait
été Inconvenant d'accepter trop vite, mais il était
presque sûr de la réponse. Il était médecin et les
médecins étaient les partis les plus recherchés. En
ce temps-là, comme de nos jours, un Mariage avec
un Docteur constitue une catégorie en soi. Au Sri
Lanka, un homme qui va devenir médecin est auto-
matiquement beaucoup plus désirable, et en épouser un équivaut à gravir un échelon de l'échelle
sociale, non seulement pour la jeune femme
concernée, mais pour toute sa famille. Aussi Bala

était-il satisfait. Étant donné sa timidité, cela faisait des semaines qu'il rassemblait son courage pour parler à Vairavan.

La nuit estivale l'engloutit dans l'obscurité et le célibat après qu'il fut passé, une fois de plus, devant la jeune fille qui se tenait au seuil de la maison.

À la vue du visage de Mayuri, ses frères et sœurs devinèrent qu'il y avait du nouveau. Baba l'avait demandée en mariage ; son souhait serait exaucé. Ses frères échangèrent de grands sourires. Elle ne dit rien, c'était superflu. Dans un village comme Urelu, les nouvelles circulent à la vitesse de l'éclair. Les voisins chuchotèrent par-dessus les clôtures. Les membres de la famille cancanèrent par-dessus leurs tasses de thé. Les astrologues acceptèrent d'être consultés. Quand M. Thiru, qui habitait quelques maisons plus loin, eut vent du Mariage Convenable et Heureux, il fut perturbé. Pour cet homme qui se mêlait de ce qui ne le regardait pas, un tel mariage au sein d'une famille déjà bénie des dieux dont le père était d'une bonté excessive était une chance par trop insolente.

Dans un aussi petit village qu'Urelu, il n'y a pas de mauvaises intentions. Il n'y a que de mauvaises actions commises avec les meilleures intentions du monde. Le jeune médecin souhaitait épouser Mayuri. Il le voulait avec un brin d'irrationalité, pensait M. Thiru, qui avait de l'affection pour Mayuri dont il était, lui aussi, un cousin par alliance. Il était heureux de son bonheur. Mais le Mariage avec un Docteur constitue une catégorie en soi. Pourquoi fallait-il que Mayuri épouse un médecin ? Des membres de sa famille en avaient déjà épousé.

M. Thiru y réfléchit – pas très longtemps. Il prit le téléphone et composa le numéro de son jeune ami, le docteur Balachandran. Il connaissait une autre famille, plus pauvre, qui avait une fille à marier. Cette famille méritait une chance.

Les visites à la véranda s'interrompirent. Mayuri crut tout d'abord que Bala attendait que son père lui donne l'autorisation officielle de la traiter comme la femme qu'il allait épouser. Elle s'asseyait sur les marches, éloignant à grandes gifles les moustiques qui se posaient sur ses épaules, scrutant le crépuscule dans l'espoir de le voir apparaître, cet Homme Qui La Désirait. Trois soirées s'écoulèrent. Aucune ne fut troublée par son pas tranquille.

La quatrième, Mayuri comprit qu'il ne reviendrait jamais. Le matin, elle se levait et prenait son petit déjeuner. Sans desserrer les dents. Ses frères et sœurs l'observaient en silence. Tous les jours, elle allait travailler comme si de rien n'était ; tous les soirs, elle s'installait à sa place sur la véranda, deux verres de jus de citron à portée de main, comme si de rien n'était. Il viendra, se disait-elle, sûre du contraire. Un soir qu'elle était assise là, elle entendit sa mère, Lakshmi, parler à leur voisine par-dessus la clôture du fond. Une longue pause succéda au murmure de leur calme conversation. Lakshmi s'approcha de sa fille, s'immobilisa derrière elle avant de se pencher pour poser la main sur son épaule.

Mayuri avait été à deux doigts de chavirer dans l'Amour Arrangé avec Consentement Mutuel. Au lieu de quoi, elle basculait dans un gouffre de désillusion, non par rapport à la vie mais à l'idée de se marier un jour. Elle secoua de son épaule la main compatissante de sa mère et entra dans la maison.

En un sens, elle n'en ressortit jamais. Elle ne se maria pas. Ce n'était pas un choix, et Vani se rendit compte qu'elle ne faisait rien pour infléchir son destin.

Les années s'écoulèrent. Vairavan était déjà mort quand la sœur cadette de Mayuri, Harini, la tante de ma mère eut un autre genre de problème : le Mariage avec un Homme qui ne convient pas.

Harini et Rajan se connaissaient depuis l'enfance. Ils désiraient se marier depuis qu'ils avaient compris le sens de ce mot. À Urelu, on trouvait leur couple un peu bizarre. Harini, la troisième des enfants de Vairavan, était une fille bien. Élancée, mince et vigoureuse, c'était une beauté aux immenses yeux noirs que son teint clair faisait ressortir. Elle était timide et suffisamment intelligente pour comprendre que son visage superbe risquait d'attirer sur elle un genre d'attention qui l'aurait embarrassée voire mise en danger. Ne voulant pas que les gens la regardent comme ils regardaient ses sœurs ou les autres jeunes filles du village, elle perfectionna l'art de se dissimuler en public. Elle apprit à être quelconque. Elle réussissait à masquer sa beauté à tel point que les gens ne la voyaient que lorsqu'elle les avait dépassés. Ses longs cils baissés sur ses immenses yeux noirs, elle fendait la foule et, une bonne minute plus tard, on se demandait : N'y avait-il pas à l'instant une ravissante jeune fille ? Puis on chassait cette pensée.

Rajan était un grand jeune homme très mince, au physique avantageux et vulgaire, arborant la moustache d'un héros de série B. Où qu'il se tienne dans une pièce, on le voyait. Son sourire éblouissant s'apercevait de loin. Les gens l'aimaient tout en s'en voulant de l'aimer. D'une extrême indolence, il avait une bande de copains, des jeunes du village aux antécédents douteux. N'importe quelle mère aurait réprouvé sa consommation d'alcool et de cigarettes, a fortiori celle d'Harini. Mais Lakshmi était une amie de la mère de Rajan et, au nom de cette amitié, elle acceptait l'idée que sa fille puisse épouser ce garçon.

Harini avait une influence apaisante sur Rajan. À son contact, il devenait quelqu'un d'autre, plus silencieux, plus calme, plus semblable à son père. Et en sa présence, la réserve d'Harini tombait, elle oubliait de cacher son visage derrière le rideau de ses longs cheveux. Le masque volait en éclats pour révéler sa beauté. Leur amour d'une telle évidence, d'une telle simplicité faisait soupirer Lakshmi à qui il rappelait sa jeunesse.

Aussi, lorsqu'un matin, la mère de Rajan se pencha au-dessus des bougainvilliers pour lancer : « Lakshmi, ne crois-tu pas qu'il est temps que nous parlions des enfants », celle-ci, au lieu de lui demander ce qu'elle entendait par là, resta silencieuse un instant et hocha lentement la tête.

C'est ainsi que les Mariages Arrangés se contractent parfois dans le sillage de l'amour au lieu de le susciter. Même drapée dans le Sari Rouge du Mariage, Harini ne fut pas la vedette de la cérémonie. Elle ne le souhaitait d'ailleurs pas. Tous les regards convergeaient vers le fiancé qu'on aurait dit nimbé de lumière – un homme au teint sombre, aux dents d'une blancheur de noix de coco que révélait un sourire de star de cinéma, lequel faisait battre le cœur d'Harini, *boum, boum, boum*. Rajan la regarda au-dessus du feu de mariage rituel et son sourire s'élargit en une grimace complice. *Je te connais. Je te tiens.* En effet. Mais ce sourire n'inspirait pas confiance au cœur d'Harini. *Tais-toi*, ordonna-t-elle à son cœur. Et elle tendit un pied après l'autre pour qu'il glissât les alliances d'argent au deuxième orteil de chacun d'eux. Troublée par le contact des mains de Rajan sur ses chevilles, elle pensa soudain – en dépit des exigences de la chasteté, des convenances et de la religion – aux plaisirs que ces doigts lui procureraient en d'autres endroits de son corps. Furieuse contre elle-même, Harini inclina la tête pour qu'il lui passe une guirlande autour du cou.

D'un ton monocorde, le prêtre prêcha en sanscrit, puis en tamoul. Levant les yeux, elle aperçut sa mère, imposante et impassible, à côté de celle de Rajan, apparemment plongée dans la béatitude. Les cloches du temple sonnèrent. Aussitôt, les sœurs d'Harini s'empressèrent auprès des invités affamés, leur proposant des pâtes de fruit. Dans ce pays où on ne prenait pas le mariage à la légère, la cérémonie pouvait durer une journée.

Harini à trente ans : d'une beauté toujours aussi poignante, elle restait dans l'ombre de Rajan, un enfant sur chaque hanche. Il continuait de monopoliser l'attention, avec son sourire d'une blancheur de noix de coco – il creusait deux sillons aux commissures de ses lèvres – que sa moustache cachait. Lorsqu'ils marchaient au milieu de la foule, il la précédait de quelques pas et les ragots allaient bon train dans Urelu, qui s'était accoutumé à Rajan mais pas à Harini. Comment une fille aussi bien, que toute mère aimerait voir épouser son fils, avait-elle pu finir avec ce débauché ? Car c'était ce que Rajan était devenu. Il n'avait rien perdu de ses habitudes de jeunesse. Il buvait trop. Il avait des aventures. Parfois, quand il rentrait tard et rejoignait Harini au lit, ses cheveux étaient imprégnés de l'odeur âcre du cannabis. Harini ne disait jamais rien. Elle souriait sereinement, même s'il était agressif au marché avec un vendeur de fruits ou s'il giflait leur plus jeune enfant sans raison. Il lui criait après en privé, puis en public, tirant sur ses longs cheveux dont, un jour, une grosse mèche lui resta dans la main – ils la fixèrent tous les deux, éberlués. Alors il frappa Harini ; et la bouche de la jeune femme s'emplit de sang.

C'est le goût de l'Agonie d'un Mariage, dit le cœur d'Harini. Au cours de sa vie, elle avait tout avalé. La jalousie de sa vieille fille de sœur, Mayuri, à propos d'un mariage qui coulait apparemment de source. La désapprobation silencieuse de sa mère. Le statut d'ombre perpétuelle qu'elle s'était imposé. Alors elle avala une fois de plus, elle avala de l'air et du sang. À force d'être maltraité, son cœur palpitant réduit à de la pulpe s'était usé.

Mais Harini se plia en deux, se baissa. Elle ramassa son sourire de Celle Qui Va Toujours de L'Avant là où il était tombé, et poursuivit son chemin.

Certains mariages durent alors qu'ils ne le devraient pas, c'est ainsi.

Même ceux qui s'aiment depuis l'enfance ne peuvent empêcher leurs vies de prendre d'insoupçonnables tournants. Logan, le frère aîné d'Harini, l'oncle préféré de ma mère, regrettait parfois d'être l'aîné, un statut qui entraîne des responsabilités. C'était à lui qu'incombait le devoir de parler à Harini de son mari.

L'année où le premier de leurs enfants eut sept ans, la famille d'Harini rendit visite à la famille de Logan, dans la maison de celui-ci située à proximité de la plantation de thé où il travaillait. Tandis qu'Harini franchissait le seuil de la maison, Logan tint la porte ; la tête de sa sœur passa sous ses yeux et, pour la première fois, il remarqua non seulement des fils argentés dans ses épais cheveux, mais la peau arrachée derrière son oreille gauche.

Logan leva les yeux : Rajan, qui suivait Harini sur le chemin menant à la maison, portait avec désinvolture leur plus jeune enfant sur une de ses épau-

les. Logan réfréna son envie de lui prendre le bébé
– chaque chose en son temps. Rajan voulut serrer
la main de son beau-frère, qui accepta au lieu de le
serrer dans ses bras comme il l'aurait fait avec les
autres membres de sa belle-famille. Logan – il prenait de l'âge, il avait les tempes grisonnantes et une
expression plus sévère qu'auparavant – ferma la
porte. Voilà qu'ils se trouvaient chez lui, là où
l'amour protecteur régnait depuis des années.
Harini se surprit à respirer profondément comme
pour l'absorber par tous les pores de sa peau.

De la cuisine, Kala, la femme de Logan, fit signe à
l'aînée de ses deux filles, qui s'empara d'un plateau
où elle posa le sucrier rempli de petits cubes. Elle
tendit le thé à chacun des convives, puis fit passer
les plats de riz fumant et de currys. Harini remarqua
qu'elle était grande, jolie, bien habillée. Aimée de
toute évidence. Harini porta sa tasse à ses lèvres :
Kala n'avait pas oublié la façon dont Rajan et elle
préféraient leur thé bien qu'ils ne se soient pas vus
depuis longtemps. Harini constata que non seulement son frère aîné avait maigri mais qu'il marchait
d'un pas plus ferme comme s'il avait acquis une
sorte d'aisance. En réalité, il lui rappelait leur père,
une bonne raison de l'aimer davantage encore.

Assis dans le petit salon, ils discutèrent des heures. Au bout d'un certain temps, Kala s'excusa et
emmena les quatre petits au lit. Ne la voyant pas
revenir, Logan comprit qu'elle refusait de parler à
Rajan – l'homme avait manifestement déjà beaucoup trop bu ce jour-là. Harini, Rajan et Logan s'at-
tardèrent jusqu'à une heure avancée. Logan se
demandait s'il résisterait plus longtemps que son

beau-frère qui, sans s'en rendre compte, avait fait un trou dans l'accoudoir du canapé avec une cigarette ; suggérer un tête-à-tête avec sa sœur aurait été une impolitesse frisant l'offense. Enfin, au moment où la petite aiguille de la pendule atteignit minuit, Rajan eut un bâillement vaseux d'alcoolique, il prit congé, fronça un sourcil à l'adresse de sa femme qui secoua timidement la tête. Il s'inclina, leur souhaita « bonne nuit » avant de se diriger en titubant vers la pièce où on leur avait installé un lit.

Logan suivit Rajan des yeux et, quand il fut sorti, il les posa sur sa sœur. Sa beauté s'était fanée depuis la dernière fois qu'il l'avait vue ; il tendit la main et effleura la petite ecchymose un peu gonflée qu'elle avait sur la joue. Il s'était préparé à avoir une conversation à cœur ouvert au sujet de son mari qui se serait déroulée ainsi :

« Tu ne devrais pas rester avec Rajan. »

Elle l'aurait regardé en battant des paupières, son sourire de Celle qui Va Toujours de l'Avant aux lèvres.

« Il n'y a pas d'autre solution », aurait-elle répliqué.

Mais cette conversation n'eut pas lieu, elle n'était pas nécessaire pour qu'ils se comprennent. Logan lut la réponse dans les yeux de sa sœur. Il admit qu'elle avait raison. Il comprit qu'elle savait parfaitement que Logan buvait et fumait trop. Il comprit qu'elle ignorait parfois où son époux passait ses nuits. Il comprit que Rajan continuait à la battre et qu'elle l'avait menacé de le quitter sans y croire. Il comprit qu'elle avait choisi de ne pas reconstruire sa vie. Sa beauté n'était plus masquée, c'était une beauté qui se consumait en permanence pour renaître ; son visage était empreint de l'ardeur d'un phœnix acharné à survivre.

Logan se leva, traversa le vestibule et se rendit dans sa chambre où dormait sa femme bien-aimée qu'il réveilla.

« Si seulement tu pouvais l'aider », lui dit-il.

Kala se redressa en se frottant les yeux. Elle savait déjà de quoi il s'agissait car la peau arrachée, l'ecchymose et le sourire contraint de Celle qui Va Toujours de l'Avant ne lui avaient pas échappé.

Pendant dix ans, Harini mourut à petit feu. Puis, un jour, elle sortit dans le jardin où elle trouva Rajan, étendu de tout son long. Son sourire s'effaça. Il lui manquait déjà.

Ma mère connaissait ses tantes et les aimait. Cependant, même petite fille, elle choisit de ne pas être trop proche d'elles parce qu'elle ne comprenait pas le naufrage de leurs désirs. Ni la façon dont Mayuri avait été abandonnée sur les marches de la véranda, deux verres de jus de citron à portée de main. Ni l'obstination d'Harini à rester avec un homme qui la traitait de plus en plus mal. Comment s'y étaient-elles résignées ? Elle les observa. Elle s'inspira de l'endurance de Mayuri et du sourire d'Harini mais elle refusa leur résignation malgré tout l'amour qu'elle leur portait.

C'est ainsi qu'elle devint la femme qui quitta le Sri Lanka, choisit mon père et affronta une famille qui croyait aux conventions et à la tradition.

Vani ne décida pas de quitter le Sri Lanka définitivement. Elle décida de ne pas y retourner. Ce n'est pas pareil. En un sens, ses raisons étaient les mêmes que celles de mon père. Les origines d'un conflit dépendent, comme tout le reste, du souvenir qu'on en a.

En premier lieu : Qui interroge-t-on ? La lecture des journaux ne vous fournira que des informations superficielles. Posez la question à un membre de la famille et vous aurez une réponse sur la façon dont tout a commencé. Cette année-là, la conférence internationale tamoule devait avoir lieu au Sri Lanka ; le gouvernement exigeait qu'elle se tînt à Colombo, la capitale du pays ; les organisateurs tamouls, quant à eux, insistaient pour que ce soit à Jaffna, la ville du Nord, leur capitale. À l'ouverture du congrès, des soldats du gouvernement tirèrent sur de jeunes Tamouls, et il y eut de nombreux morts. La tuerie, qui dépassait en horreur la violence sourde et la discrimination qui sévissaient déjà, fut le déclencheur de la rébellion. La majorité

des participants au congrès étaient des jeunes gens
– politiciens en herbe, ils vieillirent avec le souvenir
du massacre de leurs amis. Si vous interrogez
d'autres personnes, vous aurez droit à une version
différente : on soutiendra que les Tamouls mon-
taient tout en épingle, que la discrimination était
un fantasme dans cette île à trois langues pour trois
cultures, dont aucune n'était privilégiée avant que
les Tigres ne se mettent à tuer les gens, y compris
les leurs. Et si vous en interrogez d'autres encore,
vous n'aurez pas davantage le fin mot de l'histoire
même si tous vous diront qu'ils ont raison. C'est
ainsi que les hommes font la guerre.

Il existe au demeurant des faits indiscutables : la
disparition de jeunes gens encore aujourd'hui. De
temps à autre, un journaliste étranger mais ce sont
surtout de jeunes Tamouls. Des pères s'inquiètent
d'ignorer où se trouve leur enfant ; tous les soirs,
des mères mettent un couvert pour un fils, dont la
place reste inoccupée dans de nombreuses maisons. Certains ont pour travail de dresser la liste des
disparus et d'envoyer leurs noms à un maximum de
gens, ainsi qu'aux organisations politiques et huma-
nitaires. Mais cela n'aboutit presque jamais à quoi
que ce soit. Des années plus tard, lorsque d'autres
enfants, dans de lointains pays, demandent à leurs
parents de rentrer au Sri Lanka, ces derniers répon-
dent : ce n'est pas une bonne idée, pas cette année,
ce sera trop cher.

Ils se gardent de préciser : c'est trop cher parce
que le pays tombe en ruines, parce qu'il faut payer
la police, l'armée et probablement une escorte
pour circuler sans risque, parce que les hôtels qua-

tre étoiles sont les plus sûrs, mais pas les plus charmants, parce qu'il ne sera possible de rentrer qu'à condition que l'aéroport ne soit pas bombardé.

Voilà pourquoi je vis à l'autre bout du monde et vous raconte l'histoire de ma mère, qui avait dix ans quand tout a commencé. Pendant les émeutes anti-tamouls de 1958, elle était venue à Colombo avec ses parents. Ils se trouvaient dans une rue tamoule, à Wellawatte, où vivait néanmoins une famille cinghalaise. Dès qu'elle entendit approcher la foule, celle-ci abrita ses amis tamouls dans sa maison afin qu'ils y attendent la fin des hostilités dans le silence, la fraîcheur et l'obscurité. Vani, la petite fille qui deviendrait maîtresse d'école, épouse de Murali et, enfin, ma mère, se cacha sous une table. Les Cinghalais glissaient de la nourriture dans les fentes des portes et des fenêtres aux Tamouls aux aguets, qui savaient que cela ne s'arrêterait que pour recommencer.

Un des moyens d'inciter ma mère à parler d'elle, c'est de lui poser des questions sur d'autres : un tour de passe-passe, rien de plus. Comme elle tâche d'être fidèle à l'histoire, elle ne peut éviter de s'y inclure en tant que spectatrice candide, invitée silencieuse. Par ce stratagème, il est possible de se la représenter peu à peu : l'être le plus effacé ne peut demeurer spectateur candide que dans la mesure où les faits ne révèlent pas l'importance de sa présence sur les lieux du passé.

Lorsque Vani étudiait au couvent de Kandy pour devenir enseignante et que sa beauté commençait à s'épanouir, elle passait souvent ses week-ends dans les environs, chez Logan, à Nuwara Eliya. Elle avait le mal du pays et ses visites à son oncle et à sa tante lui donnaient l'impression de se rapprocher d'Urelu. Elle sortait de l'enfance lorsque son oncle était devenu le surintendant de trois plantations de thé. Elle se souvenait du protocole qui régnait chez Logan promu au rang de *dorai*[1]. Un homme d'en-

---

1. *Dorai* : équivalent de Sahib, en Inde du Sud et au Sri Lanka.

vergure. Un homme qui compte. Sa femme, Kala,
la *doraisàmi*, très intimidante gérait la demeure
monumentale tandis qu'il s'occupait de la plantation. Selon la tradition, ces deux fonctions exi-
geaient qu'on respecte étiquette et usages. Ce ne
fut d'ailleurs que bien plus tard, après leur émigration, que ma mère réussit à parler de son oncle en
passant outre la formalité coloniale qui régissait
leurs vies là-bas.

Logan ressemblait à son défunt père par beaucoup de côtés, à ceci près que la sévérité de son
visage était un peu plus accentuée. Avec ses sourcils
tombants et sa mâchoire carrée, il offrait au monde
un masque hiératique qu'un sourire généreux éclai-
rait rarement. Si occupé qu'il fût, il se libérait pour
accueillir ses neveux et nièces quand ils venaient
passer des vacances à la plantation. Ils prenaient le
train pour s'y rendre. Comme le périple était interminable, ils étaient affamés et, malgré leur jeunesse,
ils étaient suffisamment bien élevés pour ne pas y
faire allusion avant le dîner qu'on leur servait à leur
arrivée à la maison. Le chauffeur du *dorai* allait les
chercher à la gare. Il les conduisait dans une énorme
voiture noire appartenant à la plantation, mise à
leur disposition pour les vacances. Ils en escala-
daient les banquettes, sans se lâcher la main ; le
frère aidait ses sœurs à se hisser dans le véhicule, les
valises bringuebalaient à l'arrière. Il pleuvait parfois, alors le trajet jusqu'à la plantation était plus
chaotique et assez déplaisant. Ils frissonnaient d'hu-
midité tout en pensant à ce qui les attendait : le sourire tout en dents de la *doraisàmi*, un sourire qu'elle
réservait aux êtres qu'elle aimait, la tasse de thé

sucré et brûlant qu'elle leur tendrait – toute la famille de ma mère prend son thé ainsi, ce serait un sacrilège de ne pas le sucrer, ce que ma mère, qui n'aime pas beaucoup le sucré, s'oblige donc à faire.

À la porte, Kala les débarrassait de leurs parapluies avant de les faire entrer. Le chauffeur les suivait avec leurs bagages tandis qu'elle les emmenait dans le salon solennel où ils se déchaussaient. Ils lui apportaient toujours des cadeaux : bocaux de fruits de leur mère ; oignons et tomates ; douceurs maison. Après avoir bu le thé dans des tasses – qui leur semblaient plus profondes, plus larges et plus adultes que celles de chez eux –, ils passaient du salon à la non moins solennelle salle à manger où ils attendaient leur oncle pour le dîner composé de plats spéciaux en leur honneur.

Ils attendaient Logan autour de la table, longue et haute. Des couverts étincelaient à chaque place, mais ils ne touchaient à rien. Ils attendaient, observant un silence poli, jusqu'à ce que la porte grince et que Logan la franchisse à grands pas. Il était toujours impeccable. Comment pouvait-il avoir l'air si calme après un jour de travail dans les plantations ? Il leur lançait un regard si pétillant qu'ils en oubliaient de s'étonner. S'il avait paru un peu fatigué en entrant, son visage s'illuminait à la vue des enfants de sa sœur qu'il était toujours heureux de retrouver car, à l'époque, les siens faisaient des études en Angleterre. À peine ses neveux et nièces l'avaient-ils salué et étaient-ils retournés s'asseoir qu'il sonnait le cuisinier.

Logan avait un cuisinier non parce qu'il était riche mais parce qu'il y avait droit en tant que *dorai*.

Aujourd'hui encore, l'émerveillement perce dans
la voix de ma mère quand elle évoque ces repas et
la profusion de plats exquis. Le plus fascinant
n'était cependant pas la nourriture, c'était le câble
qui partait de la cuisine, longeait le mur, passait
sous la table et terminait sous la main de Logan ; là,
il y avait un petit bouton et, s'il le pressait, le cuisinier réapparaissait. La sonnette, emblème d'un
pouvoir supplémentaire dont disposait cet homme
d'autorité, plaisait beaucoup aux enfants. Pour eux,
cela prouvait que beaucoup l'écoutaient. Ce qui
était le cas.

Comme presque tous les membres de sa famille, mon grand-oncle finit par quitter le Sri Lanka. Il n'y avait pas d'autre solution. Je crois que ma mère aime se rappeler la sonnette cachée sous la table de la salle à manger, la façon dont mon grand-oncle convoquait son domestique, même si cela ressemble plus à un geste impérieux qu'à la simple observance des coutumes. Je crois que ma mère aime se rappeler aussi le départ en bateau de Logan parce que la juxtaposition des deux souvenirs lui confirme que c'est un homme courageux. Tous les membres de sa famille partirent, les uns après les autres, du Sri Lanka. Et même s'ils ne se décidèrent qu'à la dernière minute, le départ ne fut pas trop difficile grâce à la force de caractère qu'ils s'étaient forgé. Ils firent de la colère qu'ils éprouvaient un moteur pour quitter l'île et cette situation intenable.

Mon grand-oncle Logan, encore assez jeune à l'époque, partit après les émeutes de 1983, cette explosion de violence raciale au cours de laquelle les Tamouls furent des victimes, plus souvent qu'à leur tour. Les jeunes gens disparaissaient ou étaient tabassés dans la rue. Logan avait abandonné sa position de *dorai* et, assistant à l'escalade de la violence depuis sa fenêtre, il passa des coups de téléphone. Il appela tous ceux qu'il avait connus dans ce qu'il commençait à considérer comme son ancienne vie, les amis du *dorai* qu'il avait été. Il n'avait jamais abusé du prestige de sa position. Il n'avait jamais traité qui que ce fût injustement ou mal. Il espérait qu'on s'en souviendrait. Il espérait parvenir à obtenir, grâce à ces amis, ce qui était nécessaire à son départ et à celui de sa famille.

L'un d'eux rappela : deux couchettes pour l'Inde, mon oncle ? Un sacré coup de chance, pensa-t-il, car les places devenaient une denrée rare, les bateaux étaient bourrés de fuyards au souffle court. Tous ceux qu'il connaissait s'en allaient. Kala et lui traversèrent la mer sur un bateau à destination de l'Inde, entourés par des hommes pour qui il avait travaillé ou d'autres qui avaient travaillé pour lui. Ils n'emportèrent qu'une valise chacun, abandonnant tout le reste. Kala n'avait pas supporté l'idée de faire les cartons. Ils avaient laissé la maison en l'état, les deux grandes lampes à huile de l'autel de la plantation gardant la porte d'entrée. Comme si ces symboles de prospérité auraient pu préserver l'intégrité du lieu où ils avaient vécu.

À mon avis, ma mère était fière de se rappeler le statut de Logan et qu'il avait été capable de renoncer à ce faste pour une vie plus simple. Voilà ce que faisaient les membres de cette famille : ils quittaient le Sri Lanka. Logan partit longtemps après ma mère. Une fois au Canada, il travailla quelque temps comme agent de sécurité. Dans son pays d'adoption, plein de dangers d'une autre nature, c'était une profession bien payée que beaucoup d'exilés sri lankais exerçaient. Ces hommes qui avaient été banquiers, ingénieurs, comptables ou *dorai* dans leur pays, protégeaient les autres en Occident, après s'être sauvés eux-mêmes en fuyant leur pays.

Ils embarquèrent à bord d'un bateau pour l'Inde ; là, ils achetèrent des billets d'avion pour l'Angleterre, dépensant presque toutes leurs économies. Au bout de quelques mois passés en Angleterre, ils décidèrent de tenter leur chance au Canada qui accueillait les réfugiés sri lankais. Ils prirent des billets pour New York. Il ne leur restait plus d'argent pour d'éventuels billets de retour. Un calcul judicieux. Ils atterrirent à New York où une connaissance vint les chercher à l'aéroport pour les conduire à la frontière canadienne, les y laissant sans rien. Il ne s'agissait pas d'un abandon, mais d'un plan destiné à prouver qu'ils étaient dans le besoin, qu'ils demandaient l'asile. Ce qu'il était encore possible de faire sans que la dignité en souffre.

Logan, qui avait été un *dorai* dans une plantation de thé au Sri Lanka, et qui n'était plus qu'un réfugié, marcha vers la police des frontières les mains grandes ouvertes pour montrer qu'il ne possédait rien. Comme un soldat qui se rend et révèle qu'il n'est pas armé.

Les autres aussi : ils trouvèrent tous un moyen de quitter le Sri Lanka, chacun prouvant ainsi à ma mère qu'elle avait eu raison d'épouser mon père et de ne pas vouloir rentrer. Sa sœur aînée, Kalyani, est une mine d'informations en ce qui concerne ces départs ; les moindres détails de la vie de son entourage sont gravés dans sa mémoire. Elle avait voulu être médecin mais, ayant échoué aux examens d'entrée à l'université, elle était devenue professeur, puis mère. Ses talents exceptionnels dans ces deux domaines firent oublier à tout le monde qu'elle avait un jour souhaité faire autre chose. Et qu'elle avait chanté sur les ondes de *All-Ceylon Radio*.

Vingt-cinq ans après que Vani se fut cachée sous la table au cours des émeutes de 1958, les hostilités reprirent à Colombo où Kalyani avait emménagé. Durant les émeutes de 1983, les soldats brûlèrent sa maison. À cette époque-là, la chorégraphie de sa vie était très simple.

Kalyani coud, ses doigts patients et calleux bâtissent une blouse de sari tandis qu'elle raconte l'histoire d'une voix neutre.

« Voici comment tout a commencé. Les Tigres voulaient l'indépendance du Nord. À Jaffna, les garçons ont posé une mine qui a causé la mort de treize officiers de l'armée sri lankaise. Tu comprends ? Ils passaient en camion, la mine a explosé et treize officiers cinghalais ont perdu la vie. C'est ce qui mit le feu aux poudres. Le 23 juillet 1983. Un jour de fournaise. Les émeutes ont éclaté le lendemain matin. Ils ont incendié et pillé. Des maisons mises à sac. Des gens tués. Colombo en flammes.

» La nuit du 24, le gouvernement a décrété un couvre-feu de trois ou quatre jours mais les pillages et incendies n'ont pas cessé. Je ne sortais pas de la maison, et j'interdisais à mon mari et à mes enfants de le faire. Puis, la nuit du 25, une bande de brutes est venue mettre le feu à notre maison avec des torches. »

Lorsque Kalyani vit des hommes s'approcher, elle courut prévenir son mari qui se trouvait dans le jardin et ils allèrent ensemble chercher les enfants, Haran et Krisha. Tous les quatre sautèrent le petit mur séparant leur maison de celle du voisin, où ils se cachèrent. Le propriétaire, un athée du nord de l'Inde, ne prenait pas part au conflit qui se déroulait autour de lui. De sa cachette, Kalyani l'entendait parler de ses affaires et du temps avec ses employés comme si la guerre ne faisait pas rage dehors. Elle n'en croyait pas ses oreilles. Sous le bruit de pas d'hommes qui vaquaient à leurs occupations, elle percevait le crépitement des flammes dans sa maison qui s'écroulait. Fermant les yeux, Kalyani écouta les bris de verre, les hurlements d'hommes et la voix très calme de l'Indien qui parlait à ses domestiques. Quel drôle de type, cet homme qui prétend que Dieu n'existe pas, pensat-elle. Peut-être les dieux s'amusaient-ils à l'idée que celui qui sauvait la vie de Kalyani ne croyait pas en eux. Dès qu'il y eut une accalmie, ils rampèrent jusque chez eux et découvrirent qu'il ne restait qu'une carcasse de leur maison.

À la fin des émeutes, ils allèrent se réfugier dans l'école de Haran où ils dormirent pendant des semaines, entourés d'une multitude d'autres Tamouls, dans un campement de fortune. Il faisait une chaleur étouffante dans cet endroit bondé où, couchés à même le sol, serrés les uns contre les autres, ils rêvaient de la sueur de leurs compagnons d'infortune. Au mois d'août suivant, on les envoya à Jaffna, entassés dans un cargo ; durant les différentes étapes de leur déplacement, la promiscuité était telle que les fonctionnaires oubliaient leurs noms. On cesse d'être un individu pour ne plus être qu'un atome d'une masse indistincte. Haran n'était qu'un jeune homme parmi d'autres, lesquels, pour un œil étranger, un œil occidental par exemple, se ressemblaient tous. Aussi Kalyani n'avait-elle de cesse de l'envoyer ailleurs, dans un lieu où son corps ne se confondrait pas à d'autres. Il fallait à tout prix éviter qu'il soit un de ces jeunes Tamouls qui disparaissaient au motif qu'on les prenait pour des Tigres.

Peu de temps après, Kalyani réussit à envoyer Haran aux États-Unis, chez Vani. Étant donné qu'il avait l'âge idéal pour rejoindre les mouvements de militants tamouls, il ne pouvait rester dans son pays natal. L'année suivante, le mari de Kalyani partit travailler au Moyen-Orient, abandonnant Kalyani et Krisha. Haran ne revit jamais son père qui mourut au Moyen-Orient. Quant à Kalyani, ça fait des années qu'elle est partie du Sri Lanka ; elle transhume d'un pays à l'autre, d'un proche à l'autre, une nomade qui ne s'installe nulle part. Ici, aux États-Unis, il fait froid, trop froid pour elle. C'est l'hiver. Il neige.

« Je veux retourner vivre à Colombo. Là-bas, je serai autonome. Le climat d'ici ne me vaut rien », me dit-elle, laissant errer son regard par la fenêtre.

Une fois qu'on a réussi à partir et à rejoindre l'Occident, on ne retourne pas au Sri Lanka. Ce serait de la folie. Il est rare que la voix de Kalyani trahisse une émotion égoïste et je suis bouleversée d'y reconnaître le mal du pays. Pourtant il n'y a rien à retrouver, là-bas. Sa maison où elle a vécu dix ans a été réduite en cendres. Si la perte des photos de famille tourmente ma mère depuis toujours, je ne prends conscience de l'ampleur du désastre que maintenant. Ma tante parle presque trop bas pour que je puisse l'entendre.

« Ce n'est pas seulement les photos, précise-t-elle. C'est tout. La maison et ce qu'elle contenait. Absolument tout. Il n'en restait rien. Rien. »

Il suffit d'un instant pour qu'elle reprenne son ton habituel, prosaïque. Ses yeux sont rivés sur la blouse de sari, sur l'aller et retour de l'aiguille dans la soie.

Une semaine avant qu'Haran ne parte du Sri Lanka, un de ses amis mourut dans de telles circonstances qu'il se demanda s'il reviendrait jamais. C'était non seulement un ami, mais un de ses professeurs. Proviseur du lycée où Haran avait suivi les cours après les émeutes, c'était un homme d'une grande bonté qui avait encouragé le jeune homme à poursuivre ses études malgré le désespoir causé par le déplacement de sa famille. Haran songeait parfois à lui comme à un grand-père. Ce sentiment fut renforcé par sa mort prématurée.

Le professeur s'appelait Arun. Il inspirait un tel respect à ses élèves qu'ils ne s'adressaient à lui qu'en l'appelant « Monsieur », y compris ceux qui étaient diplômés. Déjà très maigre et pâle lorsque Haran avait fait sa connaissance, il était au seuil de la retraite au moment du départ du jeune homme. Il avait eu une longue carrière de professeur. Haran lui rendit visite pour lui dire au revoir et le remercier. Il n'apportait rien, n'ayant rien à offrir que le vieil homme n'eût déjà. Quand la porte s'ouvrit, il

fut ravi que le visage de son professeur s'éclairât –
au moins le plaisir qu'ils prenaient à se voir était-il
réciproque. L'idée qu'il pouvait rendre le vieux
monsieur heureux à sa modeste façon l'enchantait.
Ils s'assirent tous les deux dans la cuisine où Arun
prépara à Haran une tasse de thé sans sucre, sans
lui poser la moindre question, un signe révélant
que le vieil homme se souvenait parfaitement de
lui, jusque dans sa façon de prendre le thé. À ce
geste d'hospitalité plein d'affection, Haran sourit.
S'il avait grandi à Colombo, il était dorénavant chez
lui à Jaffna.

Au vu de l'excitation du vieil homme, Haran
comprit qu'il brûlait d'envie de lui annoncer une
bonne nouvelle. Il trouvait son professeur – un
fanatique de cricket, membre de l'équipe nationale
dans sa jeunesse – en forme. Il repérait encore les
vestiges de la carrure solide, vigoureuse et élancée
du batteur dans sa silhouette émaciée par les
années. Haran admirait cette force physique qu'il
n'avait pas perdue à soixante-huit ans. À l'époque
c'était vieux pour un Sri Lankais. Peut-être son
grand âge le rendait-il encore plus précieux aux
yeux de Haran, car il lui permettait de croire que
certains êtres vivaient longtemps, que la violence
ne ruinait et ne tuait pas tout le monde.

Arun n'y tenait plus. Haran se pencha sur sa tasse
de thé pour le remuer tout en l'écoutant. Il allait y
avoir un match de cricket, expliqua le vieil homme.
Un match historique, entre les élèves du lycée et
l'équipe de l'armée sri lankaise. Arun reconnut
qu'il l'avait organisé et qu'il espérait en être l'arbitre. Il sortit un journal pour montrer l'annonce –

elle faisait la une – à Haran, qui poussa un soupir de nostalgie tant il aurait souhaité rester pour jouer au cricket. Surprenant son soupir, le vieil homme lui assura qu'il y aurait d'autres matchs : la roue tournait. Haran sourit tandis qu'il buvait son thé à petites gorgées. Il pensa qu'il aimerait être aussi fringant qu'Arun au même âge. Il pensa qu'il aimerait passer beaucoup d'autres jours et beaucoup d'autres soirées à écouter les histoires du vieillard : la libération du Sri Lanka, les tournois de cricket, les plantations de thé, les villages en bord de mer où les hommes vivent de la pêche... Il pensa que personne ne racontait aussi bien les histoires qu'Arun et qu'il aimerait avoir le même talent lorsqu'il serait vieux, si jamais il le devenait.

Mais la roue ne tourne pas toujours et les occasions pour d'autres matchs ne se présentent pas systématiquement. Il n'y en eut pas d'autre pour le vieil homme que Haran avait appris à aimer pendant son bref séjour à Jaffna. Après son départ ce soir-là, Arun, l'ancien professeur de son lycée, un gentleman, un savant, un athlète, fut tué. D'un seul coup de feu. Il ne comprit même pas ce qui lui arrivait parce que le tireur se pencha simplement par la fenêtre et effleura de son arme le crâne du vieil homme endormi, comme s'il ne s'agissait que d'un insecte à chasser du revers de la main. On découvrit plus tard que l'assassin était un rebelle tamoul qui en voulait à Arun d'avoir organisé un match de cricket entre une école tamoule et l'armée sri lankaise.

Lorsqu'il apprit la nouvelle, Haran sentit son cœur – qui s'était déjà brisé lors de l'incendie de sa maison à Colombo – se briser à nouveau. En silence mais définitivement. Cette fois, c'était irréparable. Il partait. Une décision sur laquelle il ne reviendrait pas. Il n'était pas question de changer d'avis. Ce pays est stupide, enrageait-il. La vie ne tenait qu'à un match de cricket ?

Dès son enfance et après son départ du Sri Lanka, ma mère connut la violence. Dans sa famille, cela remontait à plusieurs générations ; l'ayant vue à l'œuvre, ma mère savait qu'elle pouvait toucher ses enfants comme elle avait touché ceux de sa sœur. Élevée à Jaffna, ma mère tomba amoureuse de mon père autant pour ce qu'il n'était pas que pour ce qu'il était. Murali n'était pas un terroriste. Il n'était pas violent. S'il voyait un être voler en éclats, il n'éprouvait d'autre désir que de le raccommoder, de même que mon oncle Kumaran avait autrefois assemblé des immeubles et qu'elle, Vani, construisait en quelque sorte des esprits, leur donnant une structure. Qu'aima-t-elle chez mon père ? La douceur de son sourire d'une telle innocence, parfois, qu'on aurait dit celui d'un enfant. L'ondulation de ses cheveux qui dégageait son grand front et laissait deviner sa future calvitie. Le stéthoscope qu'il portait autour du cou et l'odeur de petit garçon propre émanant de ses mains et de sa nuque. Ses cheveux qui commençaient à grisonner malgré sa jeunesse, preuve qu'il avait eu de grands chagrins qu'elle était capable de comprendre. Elle savait que s'il avait pu guérir son frère, il l'aurait fait. Plus tard, dans une maison au Canada, ma mère se rappellerait l'instant où, à ses yeux, son frère avait basculé et franchi les limites de la folie.

Il se trouvait dans un bus. Comme il faisait très chaud, les passagers avaient laissé les fenêtres ouvertes pour que la fraîche brise du soir puisse entrer. Le vent léger soufflait dans ses cheveux et ressortait. Il se souvenait très bien de ce moment lorsque plus tard il me raconta l'histoire. Il me semble que ce qu'il voulait, c'était que cet épisode ne soit pas oublié aussi rapidement que s'efface le souvenir des morts. Ainsi, ce n'était qu'un bus rempli de gens qui rentraient chez eux pour rejoindre leurs mères, pères, fils ou filles, mais il arriva à un carrefour où était installé un barrage routier. Des militaires l'arrêtèrent. C'était inhabituel à cette époque où la violence ne régnait pas encore. Kumaran comprit aussitôt que quelque chose n'allait pas. Les autres aussi, la certitude les envahit comme la brise du soir quelques instants auparavant. Les soldats montèrent dans le véhicule, ce qui rendit Kumaran très nerveux. Un simple coup d'œil circulaire lui suffit à deviner qu'il était l'un des seuls Tamouls du bus, or il se doutait qu'ils ne cherchaient pas un Cinghalais mais un homme en particulier. Levant les yeux, Kumaran fut horrifié : un soldat qui se tenait devant les autres pointait son arme vers lui. Le souffle coupé, il hurla qu'il n'était pas celui qu'ils recherchaient : Ô Dieu, ce n'est pas moi ! Trop tard. Le soldat avait déjà tiré et la panique s'emparait du bus. Kumaran sentit que sa tempe était visqueuse ; étrangement détaché, il leva la main pour la toucher. Il s'en était fallu de peu, mais il n'était pas mort. Comment était-ce possible ? Il se retourna lentement et suivit des yeux les soldats, avec de plus en plus de difficulté car le sang de sa blessure commençait à obscurcir sa vision et ses pensées. C'est alors qu'il vit que les soldats menottaient l'homme assis derrière lui et le traînaient dehors, tandis que les empreintes de leurs pieds rougies par le sang qui ruisselait de l'épaule de leur prisonnier laissaient des marques dans l'allée du bus. On ne l'avait pas visé. Personne toutefois n'aurait levé le petit doigt si cela avait été le cas. Il serait mort. Il prit conscience des mots qu'il avait failli prononcer au moment où la balle mal dirigée avait été tirée : Ô Dieu, ce n'est pas moi, je ne suis même pas Tamoul.

Ce qu'il avait failli dire l'horrifiait. Pour moi, concluait ma mère, c'est à cet instant précis que tout s'est joué, qu'il a pris sa décision

Mais tu n'as qu'à l'interroger toi-même.

L'APPROCHE DE LA MORT

« Ceux qui ont été ses amis et l'ont abandonné
renoueront avec lui à la disparition
de la cause du désaccord. »

Tirukkural, chapitre 53, ligne 9.

Kumaran : l'oncle que j'aimais est mort. Je me souviens de son corps parce que mon père me demanda si je me sentais capable de l'aider. Nous habitions la maison de Toronto depuis trois mois.

« En Occident, les médecins ne se préoccupent pas des membres de leurs familles, me dit-il. Peut-être es-tu en train de te rendre compte que tu ne vis pas dans un univers complètement occidental. En tant que médecin sri lankais, je prends constamment soin de ma famille. C'est ce que nous demandent les autres Sri Lankais. Ils s'attendent à ce que nous le fassions. »

Nous. Il employait ce pronom pour que je comprenne qu'il me jugeait capable de devenir médecin. De soigner les gens. D'aider tout un chacun dans la mesure de mes moyens. Même ou peut-être surtout les membres de ma famille.

« Tu crois que je peux le faire ?

— Tu n'es pas sa fille, répondit-il. À elle, je ne le demanderais pas, bien qu'elle en soit sans doute

capable après ce qu'elle a traversé. Mais tu devrais
le faire. Cela l'aiderait. »

Tel père, telle fille. Alors je me suis occupée de
mon oncle. À l'approche de la mort, médecin et
patient sont plus intimes que des amants. Rien de
son déclin, des parties de son corps qui lui échap-
paient, ne m'était étranger. Quand il dormait, je
passais doucement les doigts dans ses cheveux.
Quand la peau de son crâne commença à desqua-
mer, je la frottai avec de la lotion. Au début, je me
bornais à lui préparer ses repas, à lui apporter un
linge humide s'il avait chaud, à veiller à ce qu'il
boive assez d'eau. Au fil des mois, je le savais, de
nouvelles tâches m'incomberaient, aucune ne
serait agréable et toutes seraient des actes d'amour.
L'emmener à la salle de bains et le ramener
lorsqu'il ne parviendrait plus à marcher ; puis
poser un cathéter et peut-être l'aider à se servir
d'un bassin. Juger s'il avait besoin de calmants et
les lui administrer sous forme de pilules ou de
piqûres lorsqu'il ne parviendrait plus à les récla-
mer. Lui donner la béquée lorsqu'il ne parviendrait plus à se nourrir. Le changer régulièrement
de position dans son lit, essayer de localiser ses
escarres et retaper ses oreillers lorsqu'il ne parviendrait plus à se déplacer. Tourner les pages
d'un livre ou écrire à sa place lorsque ses doigts
n'y parviendraient plus. Traduire sa pensée
lorsqu'il ne parviendrait plus à parler : « Écris ça,
me dirait-il. Je t'ai raconté une histoire que personne ne devrait savoir. Écris-la. »

Aucun médecin n'avait à faire ce genre de choses, mais je savais que je les ferais parce que, en fin

de compte, il désirait ce que tout un chacun désire :
mourir parmi les siens, délivré de la honte et de ses
secrets.

Vijendran : un homme que mon oncle ne voulait pas près de sa famille. Pourtant il vint nous voir.

Après le départ de Vijendran et Suthan, le premier jour, d'autres gens se présentèrent. Ils téléphonaient brièvement : « Nous avons appris qu'il est chez vous. Nous aimerions lui rendre visite. »

Ce qui signifiait lui présenter leurs respects. Je n'avais pas envie qu'ils viennent. J'apprenais à aimer mon oncle, en dépit de ses actes. Eux l'aimaient déjà, pour ses actes. J'entendis ma mère et Kumaran se disputer à ce propos.

« Laisse-les me rendre visite, disait-il.

— Je ne veux pas d'eux ici, répliquait-elle. N'as-tu pas l'impression qu'on nous observe et que nos conversations sont répétées ? Passe encore que tu te mettes en danger, nous savons tous pourquoi tu es ici – tes jours sont comptés et je n'ai pas envie de me disputer avec toi. Mais qu'en est-il de ta fille ? De la mienne ? Ne crois-tu pas que tes visiteurs risquent d'éveiller les soupçons ? »

Je surpris mes parents en grande discussion, au milieu de la nuit. Mon père parlait à voix basse à ma mère qui debout, adossée au mur du couloir, baissait la tête. Elle ne songeait qu'à protéger son frère sans se rendre compte, peut-être, qu'il était impossible de garder sa présence secrète au sein de cette communauté à la fois repliée sur elle-même et si ouverte. C'était comme un village de Jaffna, ajouterait mon père plus tard. Tout le monde savait tout sur Kumaran avant même de l'avoir vu agoniser dans son lit.

Des hommes venaient accompagnés de leurs fils. Les épouses attendaient respectueusement devant la chambre où reposait Kumaran. Les filles lisaient. Ils ne le connaissaient pas, ils avaient seulement entendu parler de lui. Certains, même ceux qui étaient plus âgés que lui, l'appelaient *Anna*, ou Grand Frère. Mon père pensait que quelques-uns partaient le portefeuille plus léger après leur visite : mon oncle savait rappeler à tous leurs obligations envers les Tigres.

« Tu crois-tu vraiment qu'il lève des fonds sur son lit de mort ?

— Eh bien, ils l'ont laissé partir, non ? Et ils ont promis sa fille à Suthan qui fait la même chose parmi les jeunes gens de sa génération. »

La même chose ? Qu'est-ce que cela signifiait ? Que faisait Suthan ? Cette question restait en suspens dans les couloirs lugubres de cette maison remplie de visiteurs qui assuraient mon oncle de leur immense gratitude pour ce qu'il avait fait et qu'ils n'avaient pas eu à faire. Leurs fils avaient l'âge requis, la bonne taille, la colère adéquate pour rejoindre les militants. Malheureusement, ils n'étaient pas dans le pays qu'il fallait. Le problème, avec la colère, c'est qu'il faut toujours qu'elle trouve un exutoire.

Kalyani : ma tante arriva le deuxième mois. Elle avait laissé sa fille et sa famille en Australie pour être au chevet de son frère pendant ses derniers jours. Nous allâmes la chercher dans le même terminal que celui où Kumaran avait débarqué. Je voyais partout l'ombre de celui qu'il avait été. À son arrivée, il s'était tenu debout – certes il y parvenait encore, mais juste l'espace de quelques minutes –, il avait davantage de cheveux, il était plus gros. Nous ne nous connaissions pas alors. J'ignorais son parcours et ce que mes parents feraient pour lui.

Sur le chemin de la maison, ma mère et sa sœur parlent si vite en tamoul que leurs phrases se chevauchent. Ça fait longtemps que je ne les ai pas vues ensemble. Je capte le regard de ma tante une fraction de seconde. S'apercevant que je me moque d'elles, Kalyani s'interrompt et me sourit. Voilà pourquoi je l'aime : quelle que soit la gravité de la situation, elle ne renonce jamais à la plaisanterie. Nous l'emmenons voir son frère mourir mais ça ne l'empêche pas d'avoir conscience du comique de certaines choses – dont le numéro auquel elle se livre avec ma mère.

Elle s'interrompt avant de me lancer : « Tu es fille unique. Si tu avais un frère ou mieux une sœur, tu comprendrais. »

Dans le rétroviseur, je remarque le léger mouvement de recul de mon père. Il se félicite que je sois une fille. Il s'imagine que ça me met à l'abri de l'univers de Suthan et des activités obscures de celui-ci. Il a tort, je le sais déjà.

Lucky : parmi ceux qui rendaient visite à mon oncle agonisant, il y avait un camarade de classe de Jaffna. Lucky – il s'appelle Lakshman en réalité – connaissait Kumaran depuis longtemps. Avant qu'il ne rejoigne les Tigres. Avant que ceux-ci n'assassinent le propre frère de Lakshman, qui avait osé exprimer son désaccord. Il avait osé leur déclarer qu'ils ne parlaient ni au nom de tous les Tamouls ni en son nom et qu'il ne se considérait pas en guerre.

J'ai beau n'avoir ni frère ni sœur, je sais que les membres d'une même famille ne partagent pas toujours les mêmes opinions politiques. L'exemple de mon oncle le prouve.

À peine eut-elle ouvert la porte à Lakshman que ma mère le serra dans ses bras, manifestement enchantée de le voir. Aucun visiteur n'avait eu droit à un accueil pareil.

« Je ne croyais pas que tu viendrais, Lucky. Étant donné…

— Quoi ? demanda Lucky, les mains tendues. Mon frère est mort. Le tien est vivant. Nous devrions être pleins de reconnaissance qu'il le soit après tout ce qui s'est passé. »

De la même façon que Suthan s'était tenu derrière son père, une jeune fille se tenait derrière Lucky, se faisant toute petite. En réalité, elle se courbait pour ne pas dépasser son père. Une attitude qui me la rendit aussitôt sympathique.

« Je suis venu avec ma fille », expliqua Lucky.

Ils se ressemblaient tellement qu'elle ne pouvait que l'être. Ils avaient le même long nez aquilin, les mêmes ridules aux coins des yeux. Quand ma mère l'embrassa, elle se laissa faire, mal à l'aise au demeurant.

« Où est Lalitha ? », enchaîna ma mère.

À cette question, la jeune fille prit un air malheureux tandis que son visage se contractait légèrement. Celui de Lucky aussi. Je devinai qu'il s'agissait de la mère de la première, de la femme du second.

« Lalitha n'a pas pu venir, répondit Lucky d'une voix trop claironnante. Alors j'ai emmené Rajani parce que j'ai pensé que ta fille... aurait peut-être envie de sortir, non ? Elles peuvent prendre la voiture. »

Rajani et moi échangeâmes un regard. Nous étions déjà amies, liées par le désir de protéger nos parents de ça – quoi que ce fût. Mais comme pour tout, c'était trop tard. Une dizaine d'années trop tard.

Rajani : elle me plut à cause de sa timidité et de son franc-parler. Une étrange combinaison, ayant pour effet qu'elle ne disait jamais n'importe quoi.

« Allons à Petite Jaffna », proposa-t-elle, attrapant au vol les clefs de la voiture que son père lui lançait. Elle ne s'était même pas déchaussée. « D'après mon père, tu n'y as pas encore mis les pieds alors que c'est un quartier très animé. C'est vraiment comme au village. On pourra acheter des plats à emporter.

— À emporter ?

— On y trouve des plats préparés sri lankais. Je sais que ton père n'accepte de manger que la cuisine de ta mère, mais il y a de tout : croquettes de poisson, vadai, boulettes de mouton, dosai[1], pittu[2]. Tout. »

Elle démarra la camionnette de son père et boucla sa ceinture de sécurité en un clin d'œil. J'étais encore debout dans l'allée.

---

1. Sorte de crêpe de riz.
2. Plat à base de farine de riz et de noix de coco.

« Tu viens ? »

Je montai dans la voiture et avant que je n'aie eu le temps d'attacher ma ceinture, nous étions parties. Les routes de Toronto continuaient d'être un dédale pour moi – j'avais l'impression qu'elles ne formaient qu'un grand cercle. Je reconnus cependant l'endroit où nous nous arrêtâmes. Elle se gara dans la grande rue dont toutes les places de parking semblaient occupées par des Sri Lankais. Des femmes en saris de jour sortaient de bijouteries ou d'épiceries, traînant des enfants aux mains collantes de sucreries indiennes. Des jeunes gens, qui ressemblaient tous à Suthan, même jeans noir, même baskets, même coupe de cheveux, traînaient à droite, à gauche.

« À en croire mon père, ta cousine va se marier », lança Rajani en se garant.

Rajani n'y allait pas par quatre chemins, voilà qui forçait mon admiration. J'avais appris la valeur de cette attitude ; il n'y avait pas de temps à perdre ici.

« Oui. Avec Suthan, le fils de Vijendran », répondis-je.

Elle écarquilla les yeux :

« Vraiment ? »

Après tout, mes parents ne m'avaient pas recommandé de garder le silence.

« Oui, pourquoi ? Quel est le problème ?

— Aucun, assena-t-elle sèchement. Mais si tu n'étais pas sri lankaise et que tu voulais acheter, mettons, une bonne cargaison de drogue à Toronto, tu pourrais t'adresser à lui. Je ne suis pas sûre que son père soit au courant, en revanche tous les jeunes le sont.

— Tu ne sembles pourtant pas être le genre que ça intéresse.

— J'ai l'air d'une fille bien, c'est ça ? » Un grand sourire se dessina sur ses lèvres qui accentua sa ressemblance avec son père.

« Oui, exactement, admis-je en éclatant de rire.

— On descend ? » suggéra-t-elle. Après avoir ouvert la portière de son côté, elle se retourna et ajouta :

« Je suis quelqu'un de bien. Suthan, lui, ne l'est pas. »

Je la suivis dans la boutique de son choix. À notre entrée, une sonnette retentit. Des saris étaient empilés dans des vitrines.

« Alors, ça tombe à pic ! Tu vas avoir besoin d'un sari pour le mariage de ta cousine. Et elle aussi.

— Rajani, qu'est-ce que tu veux dire à propos de Suthan ? »

Les femmes qui se tenaient de l'autre côté du comptoir nous dévisageaient d'un drôle d'air. D'une part parce que nous parlions en anglais, de l'autre parce qu'aucune de nos mères ne nous accompagnait. Les autres jeunes filles du magasin étaient chaperonnées par les leurs, soucieuses des bienséances.

« Tu peux m'appeler Rajie.

— D'accord, Rajie. Explique-moi ce que tu veux dire à propos de Suthan. »

Avec le sourire approprié, elle fit signe à une des vendeuses de s'approcher. Lorsque celle-ci nous eut rejointes, Rajie s'exprima si couramment en tamoul que j'en fus bluffée. Elle désigna plusieurs saris.

« Le vert, qu'est-ce que tu en penses ?

— Oui, c'est parfait. Comment se fait-il que tu parles tamoul ?

— Je l'ai appris, voilà tout. Il suffit de décider. Ce n'était sans doute pas possible là d'où tu viens, mais on peut l'étudier à l'école ici, nous sommes assez nombreux. Il suffit de décider que c'est important et de se lancer pour parler à ses parents dans leur langue. »

Elle me jeta un coup d'œil.

« Désolée... ça ne signifie pas que je suis mieux que toi. Quoique... un peu peut-être, plaisanta-t-elle. Le plus surprenant, c'est que je parle cinghalais. Ma mère est cinghalaise.

— Lalitha.

— Oui.

— Elle n'est pas venue voir mon oncle.

— Non. C'est hors de question.

— Pourquoi ?

— Parce qu'elle le déteste. Elle sait qu'il était l'ami de mon père et quand elle a appris qu'il était ici et qu'il était malade, elle a ... »

Je me rendis compte que j'aimais mon oncle plus que je ne le croyais et que je n'avais aucune envie d'entendre la suite. Rajie le comprit tout de suite.

« Pardon, s'excusa-t-elle. J'ai la manie de formuler ce que je ferais mieux de garder pour moi. Il n'empêche que l'absence de ma mère n'est pas uniquement de la grossièreté : les Tigres ont tué son père, il y a une dizaine d'années. Mon grand-père. Je ne l'ai jamais connu.

— Désolée, dis-je d'un ton compassé même si je le pensais.

— Ne le sois pas. Nous n'avons rien fait. Nous ne sommes pas responsables de cette guerre stupide et absurde. C'est leur histoire. Celle de ton oncle et des hommes politiques cinghalais, dont certains font partie de ma famille. Ils ont depuis longtemps renié ma mère. »

La vendeuse avait apporté des saris et les étalait sur le comptoir :

« Admirez la beauté de la broderie.

— Combien ? » demandai-je.

Au prix affiché sur l'étiquette qu'elle me montra, je fis la grimace. Plusieurs centaines de dollars. Même s'il s'agissait d'un joli sari de mariage, je savais que mon père trouverait ça trop cher.

« Ton père estimera que ça ne vaut pas le coup, intervint Rajie. Mais Suthan ? Il a les moyens. Bon, on s'en va. Merci Amma », dit-elle à la vendeuse qui, déçue, commença à plier les saris.

« Nous reviendrons », assura-t-elle d'un ton un peu inquiétant. Le visage de la vendeuse ne s'en éclaira pas moins.

Dès lors, je sortis constamment avec Rajie. C'était devenu soudain aussi nécessaire que de laver la voiture ou se rendre au temple. Ma mère avait besoin de mangues. D'un certain type de pain qu'on trouvait dans les boutiques de Petite Jaffna. De bananes. De riz. D'une portion de croquettes de poisson pour éviter d'avoir à les préparer, ce qui lui ferait perdre un temps précieux qu'elle préférait passer avec mon oncle. Ainsi, une ou deux fois par semaine, en rentrant de l'université, Rajie venait me chercher et m'accompagnait faire les courses dont ma mère avait concocté la liste pour que je mette le nez dehors. Pendant ce temps-là, Lucky tenait compagnie à mon oncle ; un homme que mon père aimait parce qu'il persistait à rendre visite à Kumaran, malgré le refus de sa femme de l'accompagner. Et il aimait Rajie davantage encore parce que, aussi indispensable que lui soit mon aide, il estimait comme ma mère que c'était malsain pour moi de rester enfermée à attendre la mort de mon oncle.

C'était aussi vrai pour Janani, mais elle sortait rarement. À la troisième visite de Rajie, elles finirent par se rencontrer.

« Salut », dit Rajie en tamoul, en tendant poliment la main à Janani.

Pour la première fois, l'hostilité de ma cousine me sauta aux yeux – elle n'était pas simplement dirigée contre moi, mais contre ce pays, ces gens, cette maison, sans compter les visites de Lucky à son père qui lui déplaisaient. En même temps, elle nous suivit des yeux lorsque nous partîmes avec ce qui me parut être de l'envie.

« Ça te dirait de venir avec nous ? » proposa Rajie, hésitante.

Si Janani n'avait été impassible, si elle avait exprimé quoi que ce soit, j'aurais peut-être perçu ce que la question représentait pour elle. Janani était beaucoup plus âgée que ses dix-huit ans ; elle avait fait toutes sortes de choses dont je préférais ne rien savoir ; elle allait se marier. Elle n'avait peut-être pas fait d'études supérieures, en revanche elle avait participé à des combats. Et elle avait sûrement tenu une arme qu'elle était capable de monter et démonter.

« Oui, j'aimerais bien », répondit-elle.

Ce qu'elle aurait vraiment aimé – je ne l'ai pas compris sur le moment – c'était une mère. Une mère dans la vie qu'elle menait à Toronto. Ce n'était pas le Sri Lanka, mais c'était ce qu'il y avait de mieux après : un pays plein de Tamouls, le plus proche de la culture tamoule que certains connaîtraient jamais. Elle aurait aimé le découvrir avec sa mère. Elle aurait aimé faire des courses avec sa mère et préparer son mariage dans une ville loin des bombes et des couvre-feux, loin des maisons criblées de balles, loin des entraînements militaires. Elle aurait aimé que sa mère n'ait jamais combattu. Elle ne voulait plus de parents rebelles et refusait de continuer à l'être. Au fond, qui le souhaitait ? Même pas Janani, malgré la force de ses convictions. Comme sa mère n'était pas là, nous pouvions l'accompagner pour acheter son sari de mariage. Bien sûr, ce ne serait pas pareil.

La mienne, qui faisait la vaisselle, nous entendit.

« Et si je venais avec vous ? », suggéra-t-elle, tandis qu'elle nous rejoignait en se séchant les mains.

Janani croisa le regard de Vani. Pour la première fois, je vis une lueur de gentillesse ou de gratitude dans les yeux de ma cousine. Ce n'était pas sa mère, mais c'était tout de même une mère.

« Il faut que quelqu'un reste avec Appa, répondit-elle. Nous irons toutes les trois. »

Janani, Yalini, Rajie : trois jeunes filles dans une boutique de saris, dans une épicerie, dans une bijouterie, à la recherche d'une chaîne de mariage. Les yeux brillants de convoitise, Janani regardait les étoffes et les joyaux en or exposés dans les vitrines puis elle détournait les yeux comme si elle avait honte. Je le remarquai mais ce fut Rajie qui rompit le silence :

« Eh bien, Janani, Yalini m'a annoncé ton prochain mariage. Est-ce que tu as déjà une idée du lieu ?

— Ce n'est que dans un an.

— Mieux vaut prévoir. Et si nous allions visiter quelques endroits où tu pourrais te marier ? »

Nous remontâmes dans la voiture et roulâmes dans le grand cercle. Je m'assis à l'arrière pour que Janani, qui avait un sens de l'orientation plus développé, puisse voir où nous allions. Rajie sortit de l'autoroute et entra dans un quartier paisible, où des enfants tamouls jouaient dans les rues.

« On pourrait se promener longtemps ici sans croiser le moindre Blanc », murmurai-je.

Rajie se retourna, me sourit puis s'adressa à Janani tout en lui désignant un bâtiment :

« C'est le centre de la communauté tamoule que ton fiancé finance en partie. On y célèbre des mariages, le tien pourrait se dérouler là aussi.

— Si on y jetait un coup d'œil ? » proposa Janani.

Nous marchâmes jusqu'au bâtiment. Dans la grande salle déserte, il y avait ce qui semblait être un faux parquet et une petite estrade. C'était un cadre idéal pour le mariage de Janani avec ce Suthan aux opinions politiques bien arrêtées. J'imaginais mon père, bien des années auparavant, entrer avec ses amis dans le même genre de salle et dresser l'autel devant lequel il épouserait Vani, qui n'était pas encore ma mère.

KUMARAN, LE TROUBLE-FÊTE

« Malgré son corps énorme
et ses défenses acérées,
L'éléphant craint l'attaque du tigre. »

Tirukkural, chapitre 60, ligne 9.

Avant d'être ma mère, Vani vivait dans une atmosphère très conflictuelle. Cela commença avec son frère, Kumaran, celui dont elle était le plus proche. Le deuxième des trois enfants. Au début des années soixante-dix, il avait passé quelque temps en Angleterre. Il préparait un diplôme d'ingénieur. C'était un étudiant brillant, silencieux et grave, qui passait du sourire au sérieux en un instant. Déjà taciturne à son départ pour l'Angleterre, il l'était davantage encore à son retour et tout le monde remarqua un changement chez lui. Il avait rencontré quelqu'un. Peut-être était-il tombé amoureux d'une jeune fille qu'il souhaitait épouser ? Pas du tout. Kumaran était bien tombé amoureux, mais d'une cause et de la rhétorique d'une personne qui défendait une cause. En Angleterre, il avait rencontré le fondateur des Nouveaux Tigres Tamouls, Victor Rajadurai. Décevant sa famille qui espérait qu'il trouverait un travail en Angleterre, à tout le moins qu'il y termine ses études d'ingénieur ou finance le voyage de certains de ses membres, Kumaran était rentré.

Un choix qu'aucun d'eux n'avait fait ou ne ferait :
il avait décidé de rester au Sri Lanka, tout en sachant
que la situation ne s'améliorerait pas. En 1975, lors
de l'assassinat du maire de Jaffna, la famille resta
muette de stupeur ; Kumaran, taciturne comme à
l'ordinaire, alla dans sa chambre, ferma la porte,
s'allongea sur sa natte de joncs et fixa le plafond.
Personne ne s'étonna de son comportement. En
fait, il avait des soupçons quant à l'identité des
meurtriers et n'arrivait pas à voir clair en lui à ce
sujet.

En Angleterre, il avait rencontré d'autres jeunes
gens qui, comme lui, avaient l'intention de faire
des études puis de rentrer au Sri Lanka. Mais ils
n'avaient pas tardé à douter de la possibilité d'y
mener une vie convenable, alors que l'idée de rester en Angleterre n'avait jamais traversé l'esprit de
Kumaran. À ses yeux, ç'aurait été un aveu d'échec.
Il était né au Sri Lanka, il voulait mourir au Sri
Lanka, à Urelu, où vivait sa mère et où il pensait
trouver un jour la mère de ses enfants. Il avait
cependant appris à aimer Londres – le Londres sri
lankais, le Londres tamoul. Les jeunes gens aux
cheveux longs qui lisaient des essais de philosophie
socialiste et discutaient sur la façon de changer les
choses au pays. Comme si – à l'image des feuilles
de thé de mon père – on pouvait envelopper le
changement dans du papier journal pour le passer
à l'aéroport. Parfois, le matin, on les retrouvait à
l'université ou dans le sous-sol d'un appartement,
où ils avaient fumé des cigarettes jusqu'au filtre,
dans le feu d'un débat centré sur leur lointaine
patrie.

Ainsi, il rentra au Sri Lanka. Lorsque la rébellion s'embrasa après la fusillade des jeunes Tamouls à la conférence de Jaffna, il était encore jeune. D'autres émeutes éclatèrent, du genre de celles que ma mère avait connues à l'âge de dix ans. Vani n'en parla pas à sa famille, mais elle eut alors envie de partir, au moins pour quelques temps jusqu'à ce que le calme soit restauré. Son contrat de maîtresse d'école aux États-Unis était de deux ans, au terme desquels elle rentrerait. Le climat se serait amélioré au Sri Lanka. Elle pourrait rentrer, s'y marier, y vieillir.

Tandis que ma mère préparait son départ, Kumaran se préparait à rester. Il poursuivait ses études d'ingénieur à Jaffna. Certains de ses amis étaient morts sous ses yeux dans les rues de cette ville, abattus par des soldats obéissant aux ordres du gouvernement. C'était un étudiant, un très jeune homme. Il était mûr pour la révolution. Sur le point de disparaître.

Kumaran : il était étudiant. Grand et maigre, il portait des lunettes rectangulaires à monture noire aux angles arrondis qui, chaussées sur son nez, structuraient son visage étroit et anguleux. Il n'avait pas l'air d'un homme prêt à aller à la guerre – ce qui en faisait une recrue idéale. Il n'avait pas l'air d'avoir l'étoffe d'un combattant – ce qui le poussait à vouloir se battre. Ce fut un des premiers membres du mouvement insurrectionnel qu'on appela plus tard les Tigres de libération de l'Ealam tamoul ou LTTE. À l'époque où toute la famille accompagna Vani à l'aéroport pour son départ en Occident, Kumaran s'était déjà évaporé dans la nature. Elle partit – certains billets coûtent si cher qu'on ne peut les racheter – sans dire au revoir à Kumaran : il n'était pas là.

Kumaran : il acquit une grande renommée dans certains cercles, mais de façon anonyme. Son nom figurait rarement – voire jamais – dans les journaux, ce qui n'empêchait pas sa famille de le reconnaître dans certaines descriptions. On parlait de lui dans la plupart des articles. Vani se mit à lire ce qu'on écrivait sur lui comme s'il était un étranger dans les journaux où ne figurait pas la moindre allusion à la mutation des New Tamils Tigers en un mouvement séparatiste, le LTTE, établi au nord du Sri Lanka, la région où mes parents ont grandi. Jamais ceux-ci ne cautionnèrent la violence du LTTE. Les Tamouls sri lankais ne sont pas violents ; on les a obligés à le devenir. C'est l'opinion de ma tante Kalyani :

« Imagine-toi dans une pièce où il y a dix chats et un gros chien. Ils se battent. Qui va gagner ?

— Le chien, bien sûr.

— Évidemment. Les chats sont trop petits. Ils finiront par perdre. Ils mourront, non sans s'être efforcés de blesser le chien et de faire autant de dégâts que possible. Comme les Tigres. Ce n'est pas pour autant qu'ils ont raison. Il n'empêche que c'est trop facile de regarder de loin ce qui se passe et de prétendre qu'on réagirait autrement dans les mêmes circonstances. Qui peut prévoir ce qu'il ferait dans une situation pareille ? »

Peut-être ma famille avait-elle pris ses distances précisément pour cela, ouvrant par là même une issue pour Kumaran. Mais il s'agit d'abord d'expliquer son enrôlement.

Kumaran disparut vraiment pour la première fois au printemps 1976, du moins ce qui devait être le printemps 1976 car cette saison n'existe pas au Sri Lanka. Au début, personne ne s'en aperçut. Sa mère le croyait à l'université, qui le croyait malade et rentré chez lui pour le trimestre. Il n'était dans aucun de ces deux endroits. Kumaran devint un homme qu'on définissait surtout par ce qu'il n'était pas. Plus précisément, à cette époque-là, par les lieux où il ne se trouvait pas.

En Angleterre, en France, au Canada, aux États-Unis, ç'aurait été le printemps mais c'était l'été pour la famille de Vani qui vivait toujours à Ceylan, parce qu'à Ceylan – le nom que les Anglais ont donné à cette île qu'il leur arrive encore d'appeler de la sorte – l'été dure toute l'année. Personne ne s'aperçut de la disparition de Kumaran jusqu'à un soir où sa mère lança à la ronde : « Quand avez-vous eu des nouvelles de Kumaran pour la dernière fois ? »

Ils réfléchirent tous en silence.

« Cela fait plus d'une semaine qu'il ne m'a pas téléphoné, poursuivit-elle. Or il n'oublie jamais, vous le connaissez. »

En réalité, personne ne le connaissait. Sauf Vani, et elle était partie.

Kumaran : en 1976, au moment de sa disparition, il était maigre et dégingandé. Il avait le teint clair. Il était séduisant sans être beau à proprement parler. Il ressemblait à son père, il avait son allure. Le souvenir de son grand-père assassiné ne le quittait pas. Ses sourcils très fournis se rejoignaient presque à la naissance du nez et, bien que son expression fût le plus souvent courroucée, il l'était rarement. Réfléchi et circonspect, il s'exprimait avec lenteur. Comme tous les membres de sa famille, il avait les cheveux noirs, mais ils devinrent gris très vite si bien que ses sourcils étaient plus foncés que ses cheveux. Sans ses oreilles un peu décollées, il aurait eu l'air très sévère. Il avait beau être un tout jeune garçon, il faisait beaucoup plus vieux que son âge.

Le visage rond qu'il avait jadis – un signe distinctif de l'enfance – s'émaciait de plus en plus. Il n'avait pas les mêmes pommettes saillantes que Vani, et ses joues si creuses lui donnaient un air de sculpture attaquée par l'érosion. Aucun de ses traits n'était banal. Sa bouche, très mince, devenait géné-

reuse dès qu'un sourire s'y dessinait. Il était plus
âgé que ma mère. Personne ne se rendait compte
qu'il était en train de mourir. D'une manière ou
d'une autre.

Kumaran : au fil des ans, son visage devint de plus en plus farouche, comme en réaction à l'amour et à la haine qu'il inspirait. Il était ingénieur civil de formation. Un métier qu'il avait choisi et par lequel il avait été choisi. Ayant la passion d'assembler des pièces, il s'amusait à monter et démonter tous les puzzles et les machines qui lui tombaient sous la main. Il évaluait instantanément les possibilités qu'offrait un lieu.

Il voulait que son travail soit concret. Comment un homme pouvait-il indiquer à d'autres la façon de construire s'il ne l'avait jamais fait ? Durant les vacances d'été avant sa dernière année d'études, il trouva du travail sur un chantier à Trincomalee. Il n'avait pas la carrure idéale pour ce type d'activité. Les autres, en majorité des ouvriers du bâtiment, ne craignaient pas le poids de brouettes remplies de béton ou de briques et ils extrayaient la pierre sans broncher, sous l'œil de Kumaran qui se gardait d'exprimer son admiration parce qu'ils n'étaient pas du genre à le tolérer. Plus grands et plus musclés que lui, ils l'observaient pour voir s'il tenait le coup – ce qu'il était déterminé à faire. On attribuait à chacun une charge de travail quotidienne ; si Kumaran n'était pas venu à bout de la sienne, il restait jusqu'à une heure avancée de la nuit plutôt que de la reporter au lendemain. Les ouvriers partaient les uns après les autres non sans le regarder. Conscient qu'on l'attendait au tournant, il s'attardait tous les soirs jusqu'à ce qu'il ait terminé et ne retournait qu'à une heure tardive à son hôtel, d'où il repartait avant que quiconque fût éveillé. La serveuse lui laissait toujours une généreuse assiette de riz sur la table qu'il mangeait seul, soir et matin. Puis il reprenait le chemin de son travail.

Sa métamorphose le fascinait. C'était comme s'il se dédoublait pour apprécier la vacuité de cette vie volontairement dépouillée. Lui qui, à son arrivée, était mince et élancé sans être vigoureux, était en train de devenir aussi musclé que les ouvriers, ces travailleurs que les Tamouls puis les Anglais avaient surnommés, avec mépris, coolies. Dans l'esprit de la plupart des gens ce mot continue d'être associé à une caste inférieure, à un niveau de vie dérisoire, à une sous-humanité ; certains n'hésitent pas à nier l'existence de ce système de castes au Sri Lanka. Toujours est-il que Kumaran était fier de son corps de coolie car il travaillait parmi les hommes qu'on appelait ainsi. Lui qui avait toujours été étudiant et ressemblé à un étudiant, avait désormais le teint sombre, à cause du soleil de midi, et de la force. Pour la première fois, il observait avec détachement la façon dont les passants le traitaient. Ils le prenaient pour ce qu'il n'était pas, ils le considéraient comme un membre de cette classe inférieure. Aussi Kumaran apprit-il à haïr non seulement ce que les Anglais avaient fait à son pays, mais ce que son peuple s'infligeait à lui-même.

Ils construisaient un muret en pierres de tailles différentes, très lourdes de surcroît. Un soir où Kumaran s'attardait pour terminer son travail, il fit la connaissance d'un membre des Tigres. Il faisait chaud bien que le soleil ait disparu à l'horizon. Il travaillait vêtu d'un caram, ce que les Anglais appelaient un sarong, et il transpirait à grosses gouttes. Comme à l'ordinaire, les autres ouvriers partaient les uns après les autres pour rentrer chez eux. S'essuyant le visage sur l'épaule, Kumaran pensa au plat de riz qui l'attendait et au livre d'histoire tamoule que son ami Victor lui avait envoyé. Il venait de s'atteler à une nouvelle rangée de pierres lorsqu'il sentit qu'on lui effleurait l'épaule à la manière d'un chat.

L'homme qui l'avait touché avait le teint foncé. Il arborait une moustache et son sourire révélait des dents d'une blancheur éblouissante. Ses yeux noirs avaient une douceur veloutée. Ses cheveux et son visage étaient encore trempés par les efforts de la journée. Il tendit à Kumaran une louche pleine d'eau.

« Aday, tu ne termines jamais ton travail à temps »,
dit-il.

Kumaran prit la louche, but la moitié de l'eau
avant de verser le reste sur sa tête. L'eau ruissela
dans son cou, le long de son dos et éclaboussa
l'autre homme.

« Pardon, s'excusa Kumaran.

— Ce n'est pas grave », lui assura l'homme, un
grand sourire aux lèvres.

Kumaran scruta le visage félin au regard impénétrable. Il n'avait pas vu un tel sourire depuis des
mois. Il savait déjà qui était cet homme.

« Je finis mon travail à temps, affirma-t-il. Je reste
ici pour le finir à temps. Je n'ai pas appris comment
disposer les pierres aussi bien que vous.

— Comment t'appelles-tu, compagnon étudiant.

— Kumaran.

— Moi, Nadarajan. Je vais te montrer comment
mettre les pierres. C'est une question d'instinct. »

Kumaran sut tout de suite qu'il ne s'appelait pas
Nadarajan. Il ressemblait à un homme que son ami
Victor lui avait décrit dans une lettre, le genre
d'homme capable de se cacher en plein jour, de se
déguiser, de mentir froidement. Il prit la truelle des
mains de Kumaran, la plongea dans le mortier et
étala, avec rapidité et efficacité, une couche épaisse
sur la dernière rangée de pierres inégales de Kumaran. Celui-ci le regarda placer les pierres en laissant
un petit espace entre chacune et appliquer une autre
couche de mortier qui tomba dans les brèches, col-
matant le mur. Il avait mis presque deux fois moins
de temps que Kumaran pour assembler le même
nombre de pierres. Il tendit la truelle à ce dernier

avec un geste significatif : à ton tour. Kumaran dis-
posa la rangée suivante en laissant un petit espace
entre chaque pierre. Pour la première fois, chaque
moellon semblait se glisser aisément à sa place. Puis
il étala la couche de mortier aussi rapidement que
l'homme qui se faisait appeler Nadarajan – du moins
ce jour-là – qui, au vu de la facilité avec laquelle
Kumaran avait assimilé la nouvelle méthode, comprit que le jeune homme était plus fort qu'il n'y
paraissait.

« Où habites-tu ? À l'hôtel, non ? Très bien, dans
ce cas tu peux venir manger avec moi. »

Kumaran qui avait commencé par concevoir des plans pour construire se mit à en concevoir pour détruire. Après le congrès au cours duquel certains de ses jeunes amis avaient trouvé la mort, Nadarajan réunit un groupe d'hommes afin de s'opposer au gouvernement. Sa rencontre avec Victor Rajaduraï, qui avait constitué un groupe en Angleterre, fut à l'origine de la naissance des Tigres Tamouls. Leur but : la restauration du territoire septentrional tamoul tel qu'il était – du moins le pensaient-ils – avant l'arrivée des Anglais ; la fin de la discrimination ; des pourparlers avec un gouvernement qu'ils jugeaient corrompu et corruptible. Leur camarade négociateur : Victor ; leur meneur de troupes et tacticien militaire : Nadarajan. Un homme prêt à la lutte quoi qu'il advienne. Un homme qui s'entourait des recrues les plus prometteuses dans le domaine qui l'intéressait sans discrimination, sans prendre en compte des considérations d'ordre moral. Les véritables armes, c'étaient les gens, femmes et enfants compris. On se ligote à de la dynamite, on avale du cyanure, on se précipite dans les immeubles, on se jette sur les voitures. C'était un honneur. Avant, les membres de l'élite – jeunes Tamouls pour qui la mort était le plus bel avenir – prenaient leur dernier repas avec Nadarajan. Plus tard, ma tante comparerait la situation à celle d'un chien acculant un groupe de chats enragés dans un coin. D'après cette interprétation, Nadarajan aurait été un homme, conscient de son échec et qui s'en moquait.

Après m'être renseignée à son sujet, je ne crois plus que ce soit vrai : je pense au contraire qu'il avait la certitude de gagner. Aujourd'hui, une ving-taine d'années après le début de son combat contre le gouvernement sri lankais, on le cite comme l'un des plus éminents terroristes de la planète. Recher-ché par Interpol. Il paraît qu'Al-Qaïda s'est beau-coup inspiré des méthodes de Nadarajan. Quoi qu'il en soit, le plus incroyable dans cette triste his-toire, c'est que plus de soixante mille Sri Lankais ont péri. Personne ne s'y est intéressé. Personne ne sait d'ailleurs si ce chiffre est exact. Personne n'a pris la peine de s'interroger sur ce conflit. Un pays sans pétrole. Un pays de gens de couleur. Un pays d'où ma mère était partie et qu'elle regrettait déjà avant même que le bus rempli de ses proches se fût éloigné. Ma mère et son frère Kumaran – son pré-féré parmi les membres de sa famille – si distants l'un de l'autre alors qu'ils étaient du même sang.

Kumaran tomba amoureux de tout ce que repré-sentait Victor. S'il commençait à réfléchir à la lutte des classes au Sri Lanka, il était conscient depuis toujours des inégalités dont les Tamouls étaient vic-

times. Qu'est-ce que le terrorisme ? Il y a autant de
Tamouls pour qui les Tigres ne sont pas des terroristes que d'autres – auxquels les Tigres ont soutiré
de l'argent – qui les exècrent. Où commence la
légitime défense ? Et que penser de l'invasion insi-
dieuse du nord de l'île ? Les Tigres ont peu à peu
rogné la vie des gens à la manière d'insectes qui,
tapis dans une mangue, en grignotent la chair. Dans
notre enfance, on nous enseigne pourtant que certaines choses sont sacrées, qu'il est interdit de commettre certains actes, qu'il faut respecter certaines
conventions en temps de guerre. À mon avis, les
Tigres se considèrent comme une armée privée,
l'armée d'un peuple sans nation. Peut-être se recon-
naissent-ils dans les pilotes kamikazes japonais de la
Seconde Guerre mondiale, lancés dans des mis-
sions suicide.

Nadarajan : J'ai beau ne l'avoir jamais rencontré,
je peux vous parler de lui. On trouve dans quelques
livres des passages, plus ou moins exacts, sur ce
conflit auquel mes parents m'ont initiée par des
dépêches ou des lettres de là-bas. Un étrange héritage que cette tragédie dont Nadarajan constitue le
cœur. Il est interdit de séjour dans de nombreux
pays – la plupart à vrai dire. D'après Interpol, il
parle anglais mais je suis sûre qu'il refuse de l'utiliser étant donné son combat pour son peuple et
pour la langue de son pays.

« Très vif, maître dans l'art du déguisement, capable de manier armes sophistiquées et explosifs, cheveux lissés en arrière, corpulent. »

C'est la description d'Interpol. Au-dessus de la
mention : *Susceptible d'être dangereux,* se trouvent

deux photographies de lui. Il a une moustache et porte les cheveux longs, ce qui me semble étrange à moi, comme aux Occidentaux. Le signe évident d'une vie farouche et trépidante. À quarante-huit ans, il est de la génération de mes parents ; donc – si ce qu'on écrit est vrai – il n'avait que vingt et un ans en 1975, lorsqu'il assassina le maire de Jaffna. Seulement dix ans de moins que mon père. Pas même mon âge. Il ressemble aux hommes que j'ai côtoyés toute ma vie.

Il n'a pas fondé le mouvement des Tigres tamouls. D'après la littérature terroriste – il en existe une – celui-ci a vu le jour en Angleterre. On attribue sa création à Victor Rajadurai, un intellectuel révolutionnaire, l'ami londonien de Kumaran. Mais Nadarajan en devint le cerveau politique et militaire à l'origine de la guerre qui ravagea le pays. Voici ce qu'affirme un spécialiste, auteur d'un des ouvrages que mon père possède et que j'ai lus : « Il est certain que les Tigres n'auraient pas perduré et n'auraient pu infliger tant de pertes n'eût été leur fanatisme. Si l'aide de l'État tamoul de l'Inde et la diaspora tamoule de la Norvège au Botswana ne fut pas négligeable, elle ne résout cependant pas complètement l'énigme des Tigres. Après analyse approfondie, il n'existe pas d'explication satisfaisante au fanatisme des Tigres[1]. »

Et pourtant il y a une explication : Nadarajan. Victor. Leur charisme, leur magnétisme et leur prédisposition à la violence. Nadarajan avait pris la

---

1. Walter Laqueur, *The New Terrorism* (New York, Oxford University Press, 1999, note de l'auteur).

direction du mouvement, en revanche celui qui avait attiré Kumaran et fait de lui son protégé, c'était Victor. Le visage diplomatique des rebelles tamouls, c'était Victor. Celui qui avait laissé Kumaran partir, c'était Victor.

Après la disparition de Kumaran, ma mère ne le vit pas pendant des années. Ni personne de la famille. Cela minait Vani. Ainsi que les autres. Puis un jour, l'un d'eux – Kalyani – le vit au journal télévisé. Clouée sur place, muette, le souffle coupé, elle fut incapable ne serait-ce que de le désigner du doigt ou de prononcer son nom. Voici notre garçon qui n'en est plus un ; notre garçon qui n'est plus un être humain d'après les journaux.

La mère de Kumaran se doutait que son fils n'était pas mort. Elle sentait palpiter sa poitrine quelque part sur l'île. Mais ils ne prononcèrent plus son nom à voix haute de crainte que, là-bas, un membre du gouvernement ne l'entende et ne les fasse tous disparaître. Ces gens-là avaient été effleurés par un ouragan dont le souffle les avait épargnés.

Kumaran, le seul à ne pas quitter le Sri Lanka, fut ainsi séparé de sa famille. Il restait cependant très présent parmi ses proches qui ne cessaient de l'évoquer. Ils se demandaient s'ils apprendraient sa mort et de combien de morts il était responsable. Des gens qu'ils connaissaient étaient retrouvés en lambeaux ; le conflit et le mouvement se distinguaient par le nombre de Tamouls qui perdaient la vie à cause d'eux. Les premiers à périr étaient les opposants tamouls à la rébellion. Les traîtres de l'intérieur. Un jour, ils lurent dans un article que Kumaran avait achevé d'une balle dans le front un de ses amis pour éviter que l'armée sri lankaise ne le capture. Un jour, ils reçurent une enveloppe anonyme contenant les bris de verre d'une capsule analogue à celles où on mettait du cyanure, qu'ils prirent pour un message de sa part leur annonçant son suicide. Mais ils entendirent parler de lui quelque temps après. On glissait des lettres sous leurs portes. Comme les autres membres de familles tamoules, ils payèrent le tribut à un Tigre percepteur qui levait des fonds. Ils ne l'interrogèrent pas au sujet de Kumaran. Ils lui donnèrent jusqu'à leur dernière roupie. Sa mère eut une pensée pour la fiancée qu'ils lui avaient trouvée, la jeune fille qu'il comptait épouser.

Mariage Inachevé, Promesse de Mariage. Elle s'appelait Meenakshi. C'était une ravissante institutrice, dont le visage vieillissait depuis la disparition de Kumaran. Il ne lui écrivit ni ne lui téléphona jamais. Ils n'eurent aucun contact. C'étaient des amis d'enfance. Leurs mères, qui se connaissaient, se gardaient de parler de l'enrôlement de Kumaran. Un jour, elles se rencontrèrent au marché et la mère de Meenakshi arrêta celle de Kumaran d'une légère pression sur le bras. « Meenakshi part pour l'Australie à la fin du mois », lui apprit-elle. Elle comprit ce que cela signifiait même si rien n'avait été dit et elle la félicita.

Plus tard ce mois-là, avant son départ pour l'Australie, Meenakshi fut tuée à Colombo dans un attentat suicide perpétré par un Tigre. Un dommage collatéral. Quand Kumaran apprit la nouvelle, il tenta de mettre fin à ses jours. Ce fut la voix de Victor qui l'en empêcha : « C'est le prix à payer, mon ami. »

Et Kumaran le crut.

Lorsqu'il retomba amoureux, il se souvint de Meenakshi. Il épousa la mère de Janani. Au cours de la cérémonie hindoue célébrée au cœur du pays tamoul, il contourna l'homan avec elle et regarda ses pieds, entravés par le sari, se déplacer à petits pas. Le lendemain, le surlendemain, ainsi que tous les jours qui suivaient, ces jambes seraient recouvertes d'un uniforme militaire. Il ne savait pas encore que sa femme mourrait elle aussi. De toute façon il l'aurait épousée. Elle lui laissa une fille. Il était veuf, il avait aimé une femme, mais il était un Tigre avant tout.

Suthan : comment est-on un Tigre dans le Nouveau Monde ? Nous emmenâmes Janani faire des courses dans les rues de Toronto, et chaque fois que nous entrions dans un magasin et donnions l'identité de son futur mari, les femmes, les plus jeunes surtout, exprimaient de la frayeur ou du respect. Janani ne semblait pas s'en rendre compte.

Entre deux boutiques, Rajie, au volant de la voiture, lui demanda :

« Sais-tu ce que fait ton fiancé ?

— Il travaille pour son père, qui est concessionnaire, répondit Janani.

— En effet. Et il est impliqué dans un certain nombre d'activités illégales, dont l'argent va aux Tigres.

— Comment ? » Janani se redressa sur la banquette arrière et se pencha en avant.

« Personne d'autre ne t'en parlera, enchaîna Rajie. D'ailleurs, peut-être que personne n'est au courant.

— Il a l'air de faire ce qu'il faut. »

La conversation était en tamoul, je ne peux expliquer comment j'ai tout compris alors que j'entendais certains mots pour la première fois. Pourtant, c'était limpide. Je ne pouvais y participer. Cela se passait entre elles.

« Et que fait-il exactement ? reprit Janani.

— Je ne sais pas tout si ce n'est que beaucoup de garçons ici font la même chose. Ils affirment croire au conflit dans lequel tu étais engagée là-bas ; ils volent, vendent, trafiquent.

— Quel genre de trafic ? »

Rajie fit la sourde oreille, aussi Janani s'adressa-t-elle à moi :

« Tu es au courant ?

— Ce n'est pas pareil aux États-Unis, répondis-je, levant les mains. Tout ce que je sais, c'est que les Tigres ont choisi Suthan pour toi et que tu ne t'y es pas opposée. »

Elle regarda devant elle, par le pare-brise sale, l'autoroute déserte.

« Si j'ai fait des choses que je ne voulais pas faire, c'était pour atteindre un but que je croyais juste, expliqua-t-elle. Peut-être que c'est la même chose pour Suthan, peut-être fait-il ce qu'il croit être juste. Les Tigres ne me placeraient pas dans une situation qui ne me conviendrait pas, je suis sûre que c'est bien pour moi, pour lui, pour eux.

— C'est possible, admit Rajie. Sois prudente tout de même. Les gens qui trempent dans ce genre d'affaires ont des ennemis. »

Suthan : je ne m'étais pas rendu compte que Rajie le connaissait et qu'ils avaient grandi ensemble jusqu'au jour où ils se sont croisés dans l'allée de notre maison à Toronto.

« Rajani, l'aborda-t-il, très protocolaire.

— Suthan ! », s'exclama-t-elle. Il l'avait prise de court en quelque sorte même si elle savait qu'il accompagnait de temps à autre, rarement il est vrai, son père lorsqu'il passait voir Kumaran.

Il lui lança un regard qui parut un peu l'effrayer.

« C'est sympa de te voir », enchaîna-t-elle avec la même intonation que celle de son père lorsqu'il avait, lors de notre première rencontre, proposé que nous soyons amies.

« Oui. Comment va ton père ? Est-il là ?

— À l'intérieur, avec l'oncle », répondit Rajie.

Vijendran sortit de la voiture et, une fois devant la jeune fille, la regarda d'un air sévère.

« Bonjour, oncle. On y va, me lança-t-elle.

— Quel est le problème ? lui demandai-je tout en accélérant le pas pour la suivre.

— Nous ne nous entendons pas très bien », expliqua-t-elle, hors d'haleine.

Pour des raisons évidentes.

« Il va finir par être dans de sales draps, poursuivit-elle. C'est une chose de soutenir les Tigres – ici, ce n'est pas illégal –, mais j'ai entendu parler d'un type de son âge qui se livre au même genre de trafic et prétend aussi donner ses bénéfices aux Tigres. Ils ne sont pas tous honnêtes ; qu'est-ce qui se passera si Suthan et lui ne s'entendent plus ? Les hommes en guerre sont capables de tout. Au Sri Lanka, les Tigres ont tué des Tamouls qui n'étaient pas de leur avis. Le frère de mon père par exemple.

» Ce serait affreux si ça arrivait ici. À la guerre, il y a deux genres d'individus : ceux qui perdent et ceux qui profitent. Ceux qui font fortune et ceux qu'on chasse. As-tu une idée du nombre de personnes déplacées ? On s'imagine que la fuite est la seule issue, mais la guerre vous suit. J'espère que si les gens se battent ici, ce sera pour se libérer de la guerre.

— Peut-être que ce n'est pas si facile ni même bien de l'oublier, non ? lançai-je précipitamment pour rester à sa hauteur.

— Je n'en sais rien. Pose la question à mon père. Au tien. Demande-leur qui ils aiment, à qui ils font confiance. S'ils ont encore confiance en qui que ce soit. »

L'APPROCHE CROISSANTE
DE MURALI

« En plein jour le corbeau triomphera
de la chouette ;
Pour vaincre son ennemi le roi doit bien choisir
son heure. »

Tirukkural, chapitre 95, ligne 8.

Le village d'Ariyalai a été évacué de nombreuses fois depuis le départ de mon père. Dès le début de la guerre, les civils se réfugient dans des écoles, des églises, des abris ou émigrent. Mais les habitants d'Ariyalai se reconnaissent dans la foule d'autres pays. Autrefois, à Ariyalai, les gens étaient assez proches pour avoir le sentiment d'appartenir à la même famille et assez éloignés pour que l'amour entre eux soit possible. À l'image des routes de Jaffna, la plupart des lignées n'avaient pas de nom car c'était superflu. Nous sommes désormais à l'affût de ces fils d'Ariane comme si leur perte risquerait de nous faire perdre notre identité.

Mon père est issu d'une famille à qui l'amour n'inspire ni crainte ni gêne. Certains de ses membres s'en démarqueront, mais dans l'ensemble, ils se sont mariés par passion et librement. Je vous ai parlé de Jegan, qui, ayant remarqué Tharshi âgée de douze ans, avait demandé sa main. Peut-être leur union a-t-elle transmis à leurs enfants dès leur naissance cette disposition à l'abandon. Neelan, le frère aîné de mon père, l'exporta au-delà des limites géographiques et culturelles de Jaffna. Et il devint pour Murali un exemple du Mariage Réussi – bien que d'autres aient maudit Neelan ou affirmé qu'il avait épousé l'Ennemi.

Mon oncle Neelan, l'aîné des enfants de Tharshi, a presque vingt ans de plus que mon père. Tout le monde l'aime. S'il échappe au qualificatif de « Scandaleux », il n'en sort pas moins de l'ordinaire. L'épreuve du Mariage Sans Consentement fut sans doute plus facile à surmonter pour mon père pour la bonne raison que son frère avait épousé l'Ennemi. Elle n'était ennemie que d'un

point de vue ethnique. Ces points de vue sont toujours ignobles. C'était une intruse cinghalaise dans
une famille tamoule.

À vingt-trois ans, étudiant en première année de médecine – encore un docteur en herbe – Neelan attrapa la typhoïde. Personne ne sut qui la lui avait passée : ce pouvait être un autre médecin, un patient, une infirmière. Il fut très malade durant près de trois mois. Il logeait chez des gens dont la maison était située en face d'un parent de sa future épouse. Il n'existait aucun remède pour la fièvre. Un matin, à son réveil, il se rendit compte que les hommes qui dormaient de chaque côté de lui étaient morts au cours de la nuit. Il allait tellement mal que sa mère, Tharshi, pensa qu'il devrait renoncer à la médecine, même s'il guérissait.

Pendant sa maladie, il se lia d'amitié avec la sœur de sa future épouse. C'est ainsi qu'ils se rencontrèrent. L'objet de son affection n'avait que seize ou dix-sept ans. Timide et gracile, elle s'appelait Nirosha et sortait de l'ordinaire : c'était une Cinghalaise de Galle, du sud de l'île, mais elle avait déjà voyagé dans le Nord tamoul, ce qui était exceptionnel à l'époque. Dès que ses parents s'aperçurent de ce qui se tramait, ils la rappelèrent dans le Sud. Une fois guéri, Neelan ne parvint cependant pas à l'oublier. On avait beau l'avoir fiancé à une cousine suivant les us et coutumes de mise entre oncles et tantes de certaines familles, ils s'écrivirent des lettres d'amour dans leurs langues respectives. En fin de compte, ils réunirent leurs économies pour qu'elle puisse le rejoindre. Après la mort de Jegan, lorsque Neelan eut répandu ses cendres dans la mer, il régla les dettes de sa famille. Puis il s'adressa à sa mère :

« Que dois-je faire en ce qui concerne cette jeune fille ? »

Bien qu'ils n'eussent jamais abordé le sujet, il savait qu'elle était au courant. Tharshi dévisagea son fils aîné avec un regard débordant d'amour et de chagrin, un regard que sa future femme, espérait-il, poserait toujours – et jamais – sur lui.

« Épouse-la », répondit Tharshi.

Ils se marièrent au cours d'une interminable cérémonie hindoue dont les parents de Nirosha n'eurent heureusement pas connaissance. Plus tard, ils pardonnèrent à leur fille, grâce à un prêtre bouddhiste qui fit la paix entre les deux familles. En revanche, la première fois qu'elle s'était présentée dans une maison d'Ariyalai en tant que femme de Neelan, on l'avait accueillie, se souvenait-il, en lui offrant du thé dans une tasse fêlée – détail apparemment insignifiant mais d'une indicible grossièreté dans un pays où le thé accompagne tant l'hospitalité que l'amour.

Eux aussi habitaient à Colombo en 1983. Dès le début des émeutes Nirosha, la femme de Neelan, l'Ennemie, la Bien-Aimée, craignant pour sa vie, lui interdit de sortir pendant un an. Aujourd'hui, tous les Sri Lankais ont appris à dire Je ne suis pas un Tigre tamoul en trois langues. Neelan et Nirosha ne se soustraient pas à cette mesure de sauvegarde.

Tout comme Logan, Neelan était le fils aîné. Parmi ses sept frères et sœurs, six ne lui posaient aucun problème. La septième s'appelait Uma.

C'était la plus jeune de ses sœurs. Petite et frêle, elle était délibérément silencieuse plutôt que timide. Ses yeux trop grands, sertis dans un trop petit visage, avaient une couleur insolite, proche de l'ambre. D'une extrême clarté, ils évoquaient, par leur calme distant, un grand lac où l'on n'aurait jamais jeté de pierre. Comme ses sœurs aînées avant elle, Uma se rendait tous les jours à l'école Sainte-Anne, où l'enseignement était en anglais. Tous les matins, elle montait seule la colline pour aller au centre d'Ariyalai ; tous les après-midi, à la fin de la classe, elle rentrait sans discuter ou jouer avec les autres enfants, ni même faire des courses pour Tharshi. Dès son retour, Uma filait s'enfermer dans sa chambre. Personne ne savait vraiment ce qui se passait dans cette pièce ni dans sa tête. Personne n'était proche d'Uma, elle était insaisissable. Ces yeux-là n'étaient pas sri lankais ; ils étaient toujours ailleurs. Dans un autre monde.

Uma était indéniablement un cerveau. Comme Tharshi avant elle, c'était une excellente élève. Tout le monde le savait. Les gens parlaient à voix basse de son intelligence et de sa façon de se cloîtrer dans sa chambre. À présent qu'il restait peu d'enfants à la maison, elle l'occupait seule. Tharshi, qui n'osait pas la déranger, était tracassée par cette porte close ; à son grand dam, il lui semblait que sa fille était brillante. Ce qui ne laissait pas d'être impressionnant. Qu'est-ce que le génie pouvait apporter à une fille ? Surtout lorsqu'elle était aussi recluse qu'Uma. Tharshi avait beau être fière de cette possibilité qu'elle caressait en secret, cette enfant qui paraissait toujours contempler un autre monde l'effrayait un peu. Uma vivait en solitaire au milieu de sa famille. Présente et absente, elle ne participait pas au train-train de la maisonnée que tenait Tharshi. Une fois dans sa chambre, Uma n'en sortait même pas pour le dîner. Tharshi lui laissait des plateaux devant sa porte ; le matin, elle ramassait les assiettes vides qui s'étaient empilées pendant la nuit.

Quand on contemple l'au-delà, on entend des voix venues d'ailleurs. Un dimanche matin, Tharshi qui tamisait de la farine dans la véranda entendit un cri inhumain.

« Qu'est-ce que c'est ? » sursauta Murali. Allongé au soleil, il était plongé dans un manuel scolaire. Tharshi se précipitait déjà dans la maison. Murali la suivit. Tharshi appela Uma sans obtenir de réponse. Elle recommença à plusieurs reprises avant d'interpeller le voisin.

« Qu'y a-t-il ? » demanda celui-ci du jardin.

Rien, sans doute, pensa Tharshi. Soudain mal à l'aise, elle ne répondit pas. Elle traversa le vestibule et se dirigea vers la chambre d'Uma, dont la porte était fermée. Elle frappa timidement. Pas de réponse. Elle ouvrit doucement la porte : Uma gisait à même le sol, en proie à des convulsions, les yeux révulsés, les lèvres articulant des paroles inaudibles, les mains plaquées sur les oreilles comme si la maison retentissait d'un vacarme insupportable pour elle.

À en croire les médecins, Uma était probablement épileptique. Tharshi appela son fils aîné pour savoir ce qu'il en pensait. Le silence interminable de Neelan à l'autre bout du fil fut éloquent ; il sut qu'elle avait compris. C'était très tard pour diagnostiquer une épilepsie, finit-il par lui dire. Cette maladie ne se manifestait pas subitement chez un sujet de seize ans. Que se passait-il dans la vie d'Uma ? Est-ce que tout allait bien à l'école ? Avait-elle des amis ?

Tharshi fut d'autant plus terrifiée qu'elle ne connaissait la réponse à aucune de ces questions.

Même si personne n'en parla, la rumeur circula comme toujours dans Ariyalai dont les habitants, assez proches pour avoir le sentiment d'appartenir à la même famille et assez éloignés pour pouvoir tomber amoureux les uns des autres, faisaient preuve d'une grande discrétion envers Uma. Neelan lui téléphonait une fois par semaine. Comment vas-tu ? lui demandait-il. Sa gentillesse était une preuve supplémentaire de la gravité de la situation. Uma parvenait toujours à répondre sans donner la moindre information. Il convainquit Tharshi de l'emmener chez un médecin d'Ariyalai. Uma se prêta à l'examen médical, le docteur n'établit cependant aucun diagnostic. Tharshi baissa la tête sans le croire.

Tharshi rencontra en privé tous les professeurs d'Uma qui lui confirmèrent que sa fille bien-aimée, orpheline de père, était incontestablement brillante. Tharshi les remercia avant de leur demander :

« A-t-elle eu une conduite bizarre ces derniers temps ? Comment se comporte-t-elle en classe ? A-t-elle des amis ? »

Autant de questions qu'elle était gênée de poser avec une telle insistance alors qu'elle interrogeait rarement les professeurs. Ils la dévisagèrent avec curiosité mais lui répondirent poliment. Certains étaient allés à l'école avec Tharshi. Ils la plaignaient d'être obligée de se livrer à ces incursions dans le cerveau de sa fille. Indignée par leur pitié, elle ravala sa rancœur et patienta le temps qu'ils lui révèlent ce qui n'allait pas chez sa précieuse Uma aux yeux trop grands dans un trop petit visage. Des yeux lumineux qui contemplaient l'au-delà. Des yeux d'un autre monde. En fin de compte, leurs commentaires se résumèrent à ceci : Uma avait toujours été bizarre.

Tharshi les remercia de lui avoir dit ce qu'elle savait déjà.

Cela se produisit de nouveau sur le chemin entre l'école et la maison. Une des sœurs aînées d'Uma lui avait prêté sa bicyclette, faveur exceptionnelle, pour qu'elle puisse transporter les documents d'un gros travail à l'école. Comme Uma rentrait, le porte-bagages bourré de livres, les cheveux, qui avaient beaucoup poussé, au vent, un passant l'aperçut et songea qu'elle avait plus de cheveux que de chair.

Lorsqu'elle ne rentra pas à l'heure, Tharshi s'inquiéta. Les voisins l'avaient-ils vue ? Non. Tharshi gravit la colline et se rendit au village et à Sainte-Anne pour voir si les professeurs d'Uma savaient où elle se trouvait. Ils n'en avaient aucune idée mais, voyant la peur sur le visage de Tharshi, ils redescendirent la colline avec elle pour l'aider à chercher Uma.

C'est alors que Tharshi se souvint qu'Uma avait pris une bicyclette.

Tharshi parcourut à pied la route de Kandy jusqu'à ce qu'elle remarquât un endroit où les buissons avaient manifestement été piétinés par quelque chose – ou quelqu'un – ayant perdu tout contrôle. Puis elle entendit un cri qu'elle aurait préféré ne pas reconnaître ; suivant cette voix terrifiée, elle se fraya un chemin à travers les broussailles et trouva sa fille.

Uma était recroquevillée sous la bicyclette, dont le poids semblait énorme sur son petit corps meurtri. Elle hurlait. Ses hurlements, audibles cette fois, étaient si épouvantables que Tharshi frémit, trembla et oublia son humiliation. Se rappelant avoir déjà entendu le même cri sans savoir où, elle désirait, plus que tout au monde, qu'il cessât. Mais on aurait dit qu'Uma était en pleine crise de somnambulisme. Ils ne parvinrent pas à la bouger. Enfin, sa voix faiblit et se tut. Ses mains saignaient là où elle s'était cramponnée aux rayons des roues de la bicyclette. Ils ne réussirent à la libérer du métal qu'en arrachant ses vêtements de son corps et des roues.

Une chute de vélo n'avait pu l'amocher ainsi ;
Tharshi eut l'impression qu'Uma s'était griffée.
Son visage trop petit était couvert d'égratignures,
tout près de ses yeux trop grands qui, écarquillés,
ne voyaient rien.

On emmena Uma chez de nombreux médecins. Et chez un psychiatre qui lui prescrivit des médicaments, lesquels n'eurent aucun effet.

On emmena Uma chez Neelan. À peine eut-il posé un regard sur sa sœur que celui-ci devint complètement silencieux. Il ferma son cabinet et la conduisit dans un temple situé au sommet d'une montagne, où ils virent un vieux sage. Celui-ci releva le visage d'Uma, la bénit et l'aspergea de cendres sacrées. Cela ne changea rien si ce n'est que les dieux l'en aimèrent peut-être davantage encore.

Les dieux s'approprièrent Uma.

Les médecins enlevèrent Uma à Tharshi.

Des années plus tard, le petit garçon qui avait un souffle au cœur avait grandi, il était père et médecin. Je l'ai interrogé au sujet de sa famille, surtout de ses sœurs dont j'avais à peine entendu parler. Nous pouvons énumérer leurs noms les uns après les autres, mais que s'est-il passé ? Dis-le-moi. Uma est-elle devenue très célèbre ? Je sais qu'elle était très intelligente. Qu'a-t-elle fait ? S'est-elle mariée ? A-t-elle trouvé un travail ? Personne ne sait ce qui lui est arrivé. Murali répond lentement aux questions : « Uma est tombée très malade. Elle est entrée à l'hôpital et n'en est jamais sortie. » Dans ce qui subsiste des souvenirs de son enfance, c'est la vérité. Mais ce n'est pas tout.

Voici ce qu'il ne dit pas : « Parfois ma sœur Uma entendait des voix. Il m'arrive d'avoir peur que mes enfants ou leurs enfants entendent des voix – même si je sais que c'est ridicule. J'ai peur que tu l'entendes et qu'elle te supplie de la délester de sa folie. » Ce qu'il passe sous silence, c'est qu'un jour un de ses cousins lui a assuré qu'Uma avait eu une déception amoureuse et qu'elle en avait perdu la raison. D'où son célibat. Sa solitude. Uma n'était pas comme Kunju qui avait préféré l'amertume à la folie. Uma n'avait pas eu le choix. Les constellations présidant au cerveau d'Uma avaient été reconfigurées ; les étoiles propices avaient rompu les rangs parce qu'Uma n'avait pas été aimée.

Tharshi, leur mère, n'est plus de ce monde mais Murali sait comment elle réagirait si elle l'entendait raconter cette histoire à haute voix. Tharshi, qui aimait Uma, aurait affirmé que sa fille cadette était trop spéciale pour se marier.

VANI SE RAPPROCHE
DAVANTAGE ENCORE

« Les paroles des hommes de bien sont comme un bâton
dans un marécage. »

Tirukkural, chapitre 42, ligne 5.

Si l'histoire d'Uma est enfermée dans un placard de la mémoire – comme le sont souvent les secrets de famille – celle de la tante de Vani, Mayuri, est si profondément ensevelie que pour la trouver, il faudrait parcourir la moitié du monde jusqu'à ce pays en forme de larme et jusqu'à la maison où les enfants de Vairavan habitaient.

Que se passa-t-il après que le docteur Bala eut descendu pour la dernière fois l'escalier de la véranda ? La mère de Mayuri, Lakshmi, dit à sa fille que M. Thiru, cet homme qui se mêlait de tout, avait réussi à empêcher le mariage parce qu'il ne fallait pas qu'il se fît. Mayuri rejeta cette explication. Elle devint professeur. Elle vécut de nombreuses années dans la maison familiale qui devint la sienne à mesure que sa voix se faisait plus sonore et que celle de Lakshmi faiblissait. À la mort de celle-ci, les habitants du village d'Urelu, qui les avaient tellement aimés, Vairavan et elle, ne lui rendirent même pas hommage.

Mayuri devint ce qu'on appelle une vieille fille, et des plus revêches. Mayuri fut de plus en plus soli-

taire et renfermée jusqu'au jour où un nouveau
professeur s'assit en face d'elle au déjeuner et où, à
sa grande surprise, elle découvrit qu'elle avait une
amie.

Elle s'appelait Shanthi. Seule au monde, elle n'était pas mariée et ne l'avait jamais été. Elle n'avait pas d'autres amis que Mayuri parce qu'elle arrivait de Colombo et venait d'emménager à Urelu. Mayuri regarda de l'autre côté de la table et crut se reconnaître en Shanthi. Elles ne tardèrent pas à être si proches qu'on aurait dit qu'elles formaient une famille. Deux femmes célibataires sans attaches ni devoirs. Deux vieilles filles qui ne se quittaient plus. Elles passaient leurs vacances ensemble, faisaient des courses ensemble, allaient au cinéma ensemble. Dans de nombreuses maisons du village, on parlait d'elles en accolant leurs noms : Shanthimayuri. Associée à l'une des plus anciennes et respectables familles du village, Shanthi était accueillie un peu partout alors qu'auparavant on ne l'aurait pas laissée entrer.

C'était une femme étrange. Si Mayuri avait été plus observatrice elle aurait remarqué que Shanthi, même des années après son arrivée, ne s'était pas fait de nouveaux amis et que ses proches, s'ils ne

l'ignoraient pas, la dédaignaient lorsqu'elle s'immisçait dans les conversations. Ils ne l'aimaient
pas ; ils ne lui faisaient pas confiance ; ils ne la
connaissaient pas et n'avaient pas envie de la
connaître. Ils ne comprenaient pas pourquoi
Mayuri l'aimait. Si celle-ci avait pris la peine d'y
réfléchir un peu plus avant, peut-être aurait-elle
pris conscience qu'elle ne savait pas non plus pourquoi elle aimait Shanthi.

Mais elle l'aimait, et l'amour est toujours irrationnel. Ce qu'elle aimait par-dessus tout chez
Shanthi – cette ensorceleuse – c'était qu'elle l'ait
choisie. Car Mayuri ne pouvait oublier qu'un
homme, longtemps auparavant, s'en était bien
gardé.

Elles vivaient ensemble. Mayuri, qui ne se fiait plus à personne, réapprit à faire confiance. Elle n'hésitait pas à tout donner à Shanthi, estimant qu'elles étaient comme des sœurs. Elles ouvrirent un compte commun à la banque.

Ce fut la première erreur.

Il était de notoriété publique qu'elles étaient un peu folles et même plus, mais on faisait preuve d'une certaine indulgence. Mayuri était d'une bonne famille, c'était une enseignante de premier ordre or, comme chacun sait, les bons professeurs sont tous des originaux. Ainsi, c'était la seule femme d'Urelu à monter sur une bicyclette – en fait un tandem qu'elle partageait avec Shanthi – les cheveux dénoués, même si c'était considéré comme une extravagance pour une femme de son âge, cinquante-cinq ans, et de sa condition. Aucun fil blanc ne striait ses cheveux, dont les épaisses boucles noires encadraient son visage lisse, toujours aussi beau. Ses collègues de l'école se demandaient avec une pointe d'envie si elle se les teignait et quelle crème

elle pouvait bien mettre sur son visage pour paraître si jeune : on lui donnait trente ans. Enfin, à
moins d'une urgence, elle n'avait aucun commerce
avec les hommes, hormis ceux de sa famille.

L'opinion de ma mère à son sujet – selon laquelle
elle avait subi son existence au lieu de la prendre
en main – perdait de sa véracité. En choisissant
Shanthi, Mayuri construisait peu à peu sa vie. Shanthi avait pris une telle ascendance sur la candide
Mayuri que ceux qui avaient connu celle-ci dans sa
jeunesse ombrageuse n'étaient pas loin de penser
que la nouvelle venue faisait surgir une femme
complètement différente. Personne n'avait vu une
relation semblable à la leur, elles étaient beaucoup
plus proches que deux sœurs.

Si les gens avaient eu une perception claire de la
situation, ils en auraient peut-être conclu que, loin
de participer à la renaissance de Mayuri, Shanthi la
tuait à petit feu. Déjà *dorai* à l'époque, Logan n'intervint pas, sa sœur étant trop âgée pour qu'il se
mêle de ses affaires ; ce qu'elle décidait de faire de
sa petite fortune amassée à force d'économies et
d'investissements ne regardait qu'elle.

Un des élèves de Mayuri fut le premier à se rendre compte que le redoutable professeur d'anglais n'était plus le même. Et chaque jour un peu plus. Elle est malade, pensa-t-il, et personne ne s'occupe d'elle. Ce garçon avait un cœur assez grand pour aimer un professeur, aussi désagréable fût-il. Au retour de l'école un après-midi, tandis qu'il sortait ses manuels de son cartable, il annonça à sa mère que Mlle Vairavan n'était pas dans son assiette. Elle toussait. Elle semblait fatiguée. La mère prit d'abord l'inquiétude de son fils à la légère puis elle réfléchit. C'était un enfant observateur, un enfant intelligent, et s'il croyait que quelque chose n'allait pas, mieux valait s'en assurer.

Elle appela son amie Sarojini, une cousine de Mayuri.

La famille étant ce qu'elle est, Sarojini, une parente éloignée selon les critères d'Urelu, n'en prit pas moins le chemin de la maison de Mayuri. Elle trouva sa vieille cousine tordue de douleur par terre dans la cuisine, à côté des bris de sa tasse de thé.

Non seulement elle était âgée, mais malade.

Sarojini appela Logan.

Logan, hélas, était parti au Canada. Il est difficile d'exercer son devoir d'aîné depuis l'étranger. L'inquiétude que trahissait la voix de Sarojini ne lui laissait aucun doute, en revanche Mayuri affirmait qu'elle allait bien et que son amie Shanthi pouvait s'occuper d'elle. Logan ne put que s'incliner. S'il avait su l'influence à laquelle sa sœur était soumise, il aurait été consterné.

Shanthi déclara Mayuri inapte à la gestion de ses biens et se proposa comme tutrice. Personne à Urelu ne s'aventura à le contester, d'autant que cela correspondait aux souhaits de Mayuri. Ainsi, Shanthi obtint une procuration et le compte joint de la banque fut mis à son nom. L'école, qui ne voulait plus employer Mayuri, lui alloua une généreuse pension qui alla tout droit dans les poches de Shanthi – une compensation pour les bons et loyaux services de celle-ci qui non seulement se considérait comme une vieille femme mais estimait que les soins à administrer à son amie malade lui prenaient beaucoup de temps, tellement de temps en réalité qu'il fut décidé qu'elle cesserait aussi de travailler. L'argent de Mayuri suffirait à leurs besoins.

Il y eut d'abord des lettres. Puis des coups de téléphone. Une voix méconnaissable qui chuchotait : « Elle ne me nourrit même pas. Elle veut vendre la maison – ma maison ! » Quoi ? Qui est-ce ? demandait la fille de Logan, mais elle n'entendait que des clics en guise de réponse.

Un an plus tard environ, c'est Shanthi elle-même qui appela Logan.

« Je suis une vieille femme. Je suis fatiguée. Ce n'est pas à moi de m'occuper de votre sœur.

— Très bien, répondit Logan. Je peux m'arranger pour que la famille s'en charge. »

Le nécessaire fut fait. Logan fut stupéfait lorsqu'il découvrit le compte en banque vide et qu'il apprit par Sarojini que sa sœur était d'une maigreur qui contrastait avec l'embonpoint de son amie. Oublions tout ça, décida-t-il. « Il faut la sortir de là », murmura-t-il au téléphone à Sarojini, qui était d'autant plus horrifiée par la situation qu'elle se rappelait que l'accomplissement d'un devoir est une source d'amour.

Ils la sortirent de là. Mayuri avait l'air incroyablement heureuse de partir, rapporta Sarojini. Elle dévorait comme si elle n'avait pas mangé pendant toutes ces années avec Shanthi. Ils lui firent signer un accord stipulant qu'elle ne reverrait pas cette dernière.

Un mois plus tard, Logan reçut un coup de téléphone paniqué : Mayuri, que ceux qui l'hébergeaient avaient laissée seule un instant, avait disparu. À présent qu'elle avait repris des forces, on ne pouvait l'obliger à rester contre son gré. Elle était toujours sous le charme de Shanthi, qui, elle, était toujours sous le charme d'une situation dont elle pouvait profiter.

Pour connaître le sort de Mayuri, il n'y a qu'une personne à interroger : Shanthi. Encore faudrait-il la retrouver.

KUMARAN N'A PAS ENCORE RENDU L'ÂME

« La vertu consume l'âme de celui qui
est sans amour,
Comme le soleil consume le corps de la créature
qui n'a pas d'os. »

Tirukkural, chapitre 8, ligne 7.

Le père de ma mère était mort lui aussi avant qu'elle ne se marie.

Les enfants d'Aravindran l'appelaient Ayah, ce qui, en soi, est insolite car cela signifie « monsieur », et non « père ». Kumaran avait treize ans à la mort d'Ayah. À l'époque où il m'en parla, ses cheveux étaient poivre et sel.

« Je ne garde que des souvenirs d'enfance d'Ayah alors je n'ai pas grand-chose à te dire à son sujet. Je n'habitais plus la maison quand il est mort, j'étais pensionnaire à St. John, au centre de Jaffna. Un soir, très tard, mon oncle Logan est venu me rendre visite. À peine étais-je descendu qu'il m'a annoncé la mort de mon père.

» Je n'ai pas éclaté en sanglots ; je crois que je ne me rendais pas compte qu'Ayah était mort. Je suis monté dans la voiture, Logan a pris le volant et nous sommes allés à Urelu. Alors, c'est ça, la mort, me suis-je dit. Il me semble avoir pleuré pendant la cérémonie. Nous avons accompli les rites destinés aux morts. Les enfants n'avaient pas le droit de se rendre sur le lieu de crémation sans doute parce qu'on trouvait que c'était trop dur pour nous, alors je suis resté à la maison. J'ai reçu un tas de télégrammes de condoléances de mes camarades de classe. En fait, je me suis écroulé à mon retour à l'école.

» Quelques mois plus tard, je n'ai plus travaillé. Plus du tout. Mon professeur principal m'a convoqué pour me sermonner : "Tu ne travailles plus. — C'est vrai. — As-tu conscience de prendre la place d'un autre qui serait trop content de l'avoir ? — Très bien, je m'en vais", ai-je riposté. Et je suis allé voir Logan, à la plantation de thé, pour le prévenir que je n'avais plus envie de faire des études. Cela ne m'intéressait pas de résoudre des problèmes de maths, qui me semblaient coupés de la réalité depuis la mort de mon père. Ça n'avait plus de sens. » Kumaran s'interrompit tout à coup et plissa les yeux.

« Je n'ai pas beaucoup de souvenirs du temps où il était vivant, reprit-il. Quelques-uns seulement, mais ils sont très nets. C'était un homme extrêmement émotif. Il pleurait facilement, ce qui me plongeait dans l'embarras à tel point que je me suis interdit de verser la moindre larme pendant des années.

» Je l'ai parfois vu pleurer non parce qu'il était triste mais parce qu'il était fier de sa famille, à laquelle il s'identifiait fortement. Il pouvait aussi pleurer pour des vétilles, comme un tournoi de cricket entre sa famille et les gens des environs, quel que soit le résultat. Il se confiait beaucoup à moi, son seul fils et je crois qu'après sa mort j'ai gardé gravé en moi ce qu'il m'avait transmis. Notamment l'importance et les res-

ponsabilités d'un frère aîné au sein de la famille. Je
n'ai jamais pleuré comme mon père, on dirait qu'il
l'a assez fait pour nous tous.

» Je l'ai aussi vu pleurer au cours des séances de
transes, une pratique répandue à Jaffna, une façon
de se relier à ce qu'on appelle Dieu. Cela arrivait
assez souvent au temple de Nallur. J'ai d'autres souvenirs : je suivais avec lui un gourou – un saint
homme qui vivait près de chez nous. Je n'ai compris que plus tard que ces déambulations corres-
pondent à ce que les hindous appellent darshan :
la mise en présence du divin à travers la sainteté.

» Il ne me reste qu'un seul mauvais souvenir :
lorsqu'il a renvoyé le balayeur au prétexte que
c'était un intouchable. J'ai été plus que perturbé,
son injustice me révoltait. Rétrospectivement, je
m'aperçois que j'ai beaucoup de ses défauts. Néanmoins, sans rentrer dans les détails, je crois n'avoir
aucun préjugé de classe, de couleur ou de sexe.
Non que cela ait toujours été le cas, c'est un choix.
Dans ce domaine, il n'était pas question de ressembler à mon père. »

Kumaran a grandi loin de sa famille. Il a traversé de nombreux pays, après avoir visité le Sri Lanka.

« Quelques années après la mort d'Ayah, j'ai annoncé à Logan, qui avait alors autorité sur moi en tant que seul frère de ma mère, mon intention d'aller en Angleterre. Pourquoi l'Angleterre ? Je refusais de faire médecine, même si c'était sans doute ce qu'il y avait de mieux à faire. C'était inimaginable pour moi de m'occuper de la maladie, du malheur et d'être obligé de regarder le sang. Ce fut donc une fuite. Pendant une partie de mon séjour là-bas, j'ai travaillé comme stagiaire dans une société. On passait du bon temps entre étudiants au bureau. On ne se tuait pas au travail. 9 h 30, arrivée ; 10 heures, pause thé ; 11 heures, reprise ; midi, déjeuner ; retour à 13 ou 14 heures ; 15 h 30, nouvelle pause thé. Le week-end, nous allions à des matchs de rugby ou de cricket ou, parfois, au cinéma. C'est à cette époque que j'ai commencé à boire, non tant pour m'enivrer que parce qu'il me semblait indispensable de découvrir le goût de la bière – un élément-clé de l'univers où j'essayais de pénétrer. Puis je suis retourné au Sri Lanka et je suis entré à l'école d'ingénieur de Jaffna. Le choix d'être ingénieur n'avait rien de positif, c'était le seul qui m'était venu à l'esprit et que ma famille jugeait acceptable parce que c'était une profession respectée. Quoi qu'il en soit, cela me permettait de rester à Jaffna au lieu d'aller dans une université, ailleurs. Et je me suis lancé dans ce que je croyais être la vraie vie.

» Les problèmes entre Tamouls et Cinghalais sont passés au premier plan à cette époque-là. Bandaranaike était arrivé au pouvoir en 1956. À l'université de Jaffna, j'avais des amis cinghalais dont certains étaient favorables à la parité : les Tamouls devaient avoir accès à l'éducation et au travail comme les Cinghalais. D'autres y étaient opposés sans estimer pour autant que c'était une question de race ; d'ailleurs, certains de mes bons amis étaient de cet avis.

» Mais j'avais vu ce qui pouvait se passer. En effet, quelques années auparavant, on m'avait envoyé à Colombo, chez un cousin de mon père, un ingénieur, dans l'espoir – c'était peu de temps après la mort d'Ayah – qu'il me ramènerait dans le droit chemin. En d'autres termes, je devais apprendre à travailler si je ne voulais plus aller à l'école. J'habitais chez lui, à Wellawatte, le quartier tamoul de Colombo, et je l'accompagnais au bureau tous les matins.

» Or, cet été-là, il y eut des émeutes contre les Tamouls. Un matin où la situation était particulièrement fébrile, le cousin de mon père m'enjoignit

de ne pas me rendre au travail. Trop agité pour rester à la maison, j'en pris tout de même le chemin
après son départ.

» Peu de temps après mon arrivée, une foule
entoura l'immeuble où se trouvaient nos bureaux. »

Kumaran était un Tamoul de Jaffna. Il avait un visage maigre. Il souriait avec la même spontanéité que son père, révélant des dents d'une blancheur éblouissante d'autant plus qu'il avait le teint très foncé, comme si le soleil équatorial s'était imprimé à jamais sur sa peau. De constitution robuste, il avait une mâchoire solide. Au Sri Lanka, toutes ces caractéristiques physiques faisaient de lui un personnage incongru : il ne cadrait pas avec les critères ethniques des gens. On ne l'identifiait pas toujours comme un Tamoul de Jaffna. Pourtant il en était un mais il pouvait passer pour un autre avec une incroyable facilité. Il avait aussi le don des langues et du mimétisme, des atouts appréciables aux yeux des Tigres.

Il y avait trois responsables dans le bureau de Colombo où il travaillait cet été-là. Charles Gunase-kera, un Cinghalais, et deux Tamouls, dont le cousin de Kumaran. Charles les avait aidés à se cacher et il était resté à découvert alors que les émeutiers approchaient. Ils brandissaient des torches et

Kumaran pensa aux feuillages des toits de Jaffna, si vulnérables.

Lorsque la foule fut au pied de l'immeuble, Charles Gunasekera sortit. D'une voix calme, il leur assura que les deux Tamouls, ceux qu'il venait de cacher, n'étaient pas là. Kumaran observait ce Cinghalais qu'il ne connaissait pas. Au bout d'un moment, il le rejoignit.

« Sans doute parce que je ne ressemble pas à un Tamoul, j'ai échappé aux coups, expliqua Kumaran. C'était stupide. J'étais jeune. À notre retour à la maison, mon cousin était fou de rage : "Je t'avais dit de ne pas y aller." Mon anonymat m'avait protégé. »

Kumaran se tut. Comme c'est arbitraire, me suis-je dit. Nous nous ressemblons.

« Plus tard, poursuivit Kumaran, après la flambée des émeutes, le gouvernement a fait embarquer les réfugiés tamouls sur un bateau à destination de Point Pedro, au nord, de l'autre côté du pays.

» À bord, les réfugiés tamouls continuait à agir en fonction de leurs préjugés de caste. Ça m'a tellement écœuré que j'ai pensé que nous méritions peut-être notre sort. »

Je ne fus pas dupe du récit de mon oncle sur sa jeunesse : s'il était aussi dénué de préjugés qu'il se plaisait à le raconter, pour quelle raison avait-il tenté d'empêcher mon père d'épouser ma mère ?

En réalité, Kumaran ne pensait pas que les Tamouls méritaient leur sort. Il se rappelait son séjour en Angleterre et la façon dont les choses s'étaient déroulées là-bas.

« À mon arrivée en Grande-Bretagne, j'ai eu un choc. Très vite, je me suis rendu compte que j'étais un homme de couleur. C'était pire, en un sens, que d'être un Tamoul au Sri Lanka, parce qu'on remarquait ma différence dans la rue. Les premiers temps, aucune entreprise n'a accepté de m'embaucher comme apprenti tandis que je faisais mes études.

» Au bout de trois mois – je n'avais presque plus d'argent –, j'ai enfin trouvé une place. Quoi qu'il en soit, au début, j'ai passé mon temps à boire et à courir après les filles. Je n'étudiais pas du tout. Cette expérience m'a beaucoup plu. »

À son travail, Kumaran rencontra Muttiah qui se lia plus tard par son mariage à la famille de l'actuel président du Sri Lanka. Ainsi, il fut introduit dans un cercle privilégié. Muttiah exerça une grande influence sur Kumaran, de même qu'un autre homme à qui on le présenta, ancien membre du parti communiste, ancien agent des renseignements et anarchiste ne croyant pas à la violence – un point de désaccord avec Kumaran, encore marqué par le souvenir des émeutes. Celui-ci avait beau faire partie de ce groupe, vivre avec eux, respirer avec eux, il était avant tout un enfant d'Urelu qui n'avait rien oublié des événements de son pays ; contrairement à Muttiah, il ne voulait rejeter ni le Sri Lanka ni l'Orient. De plus en plus préoccupé par les questions politiques, Kumaran se mit à écrire des articles pour le magazine que l'ancien membre du parti communiste faisait paraître tous les mois. Et il en vint par ce biais à exprimer sa profonde aversion envers tout ce qui était fondé sur la race ou la caste.

Au bout d'un an, presque par hasard et sans avoir beaucoup travaillé, il réussit ses examens. L'heure du retour avait sonné.

Vu le peu d'argent dont il disposait, Kumaran décida de rentrer par voie terrestre. Son voyage devint une sorte de pèlerinage. Juste avant son départ, il tomba amoureux. Étant donné sa personnalité, cela se passa en deux fois. La première fois, dans une librairie. Quelques jours plus tôt, un de ses amis lui avait confié son trouble : il avait rencontré une fille ravissante dans ce lieu, mais elle avait refusé de lui donner son numéro de téléphone. Il y était retourné plusieurs jours de suite dans l'espoir de la revoir. Sans succès. Peu après cette conversation, Kumaran alla acheter un journal dans la même librairie et il remarqua, dans le coin reservé aux magazines politiques, une fille qui correspondait au portrait brossé par son ami. Elle était blonde. Elle portait des bottes qui la grandissaient. Elle avait les traits ciselés d'une statue qu'il aurait pu admirer dans un musée, une bouche écarlate et le nez chaussé de lunettes de soleil rectangulaires.

Kumaran s'approcha d'elle. Après s'être présenté, il lui dit : « Tu t'appelles Justine. — Qui

es-tu ? Je ne te connais pas. » En une seule conversation, Kumaran la convainquit de l'accompagner
en Inde – sa force de persuasion serait, un jour, très
utile aux Tigres. Il n'était pas encore amoureux
d'elle mais il aimait ses cheveux blonds si brillants,
ses sévères lunettes noires et sa bouche écarlate, le
contraire de la sévérité. Il s'abonna au magazine
qu'elle était en train de lire ; il était sûr de pouvoir
s'entendre avec elle.

Quelques mois plus tard, elle lui proposa de passer par Paris pour aller en Inde. Elle était Française
et avait envie de faire une halte dans son pays. L'ami
qui avait le premier remarqué Justine n'était pas du
voyage.

À Heathrow, un douanier désagréable inter-
cepta la jeune fille :

« Où allez-vous ?

— À Paris.

— Avec qui, madame ?

— Mon petit ami.

— Comment s'appelle-t-il ? Où demeure-t-il ?
C'est cet homme ? »

Bien entendu, le douanier connaissait le nom de
Kumaran, debout devant lui. Justine inspira profondément.

« N'avez-vous pas d'amis anglais ? Pourquoi ne
voyagez-vous pas avec eux ? – Le douanier hurlait.
– Ce sont des gens comme vous, madame, qui font
du tort à ce pays. »

L'amour prend parfois un tour politique. De
l'aéroport, Kumaran appela un journal de gauche
pour raconter l'incident. L'histoire fit un petit scan-
dale. À Londres, quelqu'un découpa l'article et

l'envoya à la famille de Kumaran au Sri Lanka. Vani ouvrit l'enveloppe, en lut le contenu en pinçant les lèvres. À Paris, Kumaran trouva une lettre qui répondait à l'article en ces termes : « Retournez d'où vous venez. »

Un amour politique ou plutôt, l'amour sous pression politique. Kumaran en avait assez de Londres, de Paris, de l'Europe. Il ne songeait plus qu'à rentrer dans son pays.

Kumaran sentit qu'il était peut-être en train de tomber amoureux de Justine. De Paris, ils se rendirent à Genève, puis à Venise. Ils prirent un bateau pour Istanbul et abordèrent des sujets politiques. Il percevait en elle la volonté d'être radicale. Sur le pont, elle fredonnait en français ; ses cheveux gardaient l'odeur du vent salé quand elle le rejoignait dans la cabine. Kumaran pensa qu'elle avait peut-être envie de l'accompagner au Sri Lanka. Elle était française. Ils étaient amoureux. Et en effet, elle prit cette décision. S'il n'avait pas éprouvé le moindre sentiment de culpabilité jusque- là, il eut alors des remords en se souvenant de son amour d'enfance, Meenakshi, qui l'attendait. L'idée de lui écrire l'effleura mais il ne le fit pas.

À Istanbul, ils prirent un autre bateau pour Erzurum. De là, ils allèrent à la frontière iranienne en bus, firent du stop jusqu'à Téhéran où ils rencontrèrent des Albanais qui se rendaient au Pakistan. Ils se mirent d'accord pour partager les frais et montèrent dans leur voiture. Puis ils gagnèrent l'Inde en train. À la frontière, le douanier toisa Kumaran d'un air méprisant :

« Qui allez-vous voir ?

— Ma mère. »

La réponse fournit au douanier le prétexte qu'il cherchait. Il demanda à Kumaran pourquoi il emmenait une Blanche chez sa mère. Kumaran garda le silence tout en fulminant : le fonctionnaire parlait anglais ; Justine comprenait tout. Pourvu qu'elle ne soit pas vexée, espéra-t-il, parce qu'il avait vraiment l'intention de l'épouser.

De la frontière indienne, ils gagnèrent Delhi où ils durent retarder leur départ d'une semaine car Kumaran avait du fil à retordre avec la police secrète qui le soupçonnait d'être un espion pakistanais. Avec le recul, cela semble moins ridicule que cela ne l'était. Lorsque l'affaire fut classée, la police, en guise d'excuses, leur réserva des couchettes pour Madras. De Madras à Rameshwaram et de là à Thanushkodi, qui, à l'époque, n'était accessible que par ferry. Pendant la traversée de l'Inde au Sri Lanka, on voit d'énormes rochers s'élever de la mer – vestiges d'après la mythologie du pont construit par le dieu Hanumān pour délivrer la damoiselle Sita[1].

Mais Justine s'arrêta à Rameshwaram.

« Depuis combien de temps n'es-tu pas rentré chez toi ? lui demanda-t-elle.

— À peu près un an, répondit Kumaran.

---

1. Héros du *Ramayana*, épopée composée en sanscrit entre le IIIe av. J.C. et le IIIe après J.C.

— Tu devrais y aller seul. Je t'attendrai ici. Tu peux me faire signe quand tu auras envie que je te rejoigne. »

Il haussa les épaules. Il devait rentrer chez lui.

« Il faut que tu ailles seul », insista-t-elle.

À son arrivée à Jaffna, sa mère et Vani l'accueillirent avec des transports de joie et il fut plus heureux de les retrouver qu'il ne l'avait imaginé. Après Jaffna, il alla voir Kalyani à Colombo. Sa sœur aînée lui en voulait. Non à cause de Justine, dont elle était la seule à connaître l'existence. C'était plus profond que cela.

« Tu n'as pas le droit de te présenter ici après avoir été si longtemps absent ! » lança Kalyani.

En réalité, l'éloignement avait rendu Kumaran encore plus sri lankais. Un jour, à Londres, il avait rencontré une femme – elle deviendrait député du Sri Lanka –, qui suivait des cours dans une université anglaise. Lors d'une réception à la résidence de l'ambassadeur du Sri Lanka, Kumaran, qui n'avait jamais appris à tenir sa langue, déclara devant l'assemblée stupéfaite que le père de cette jeune femme, un ministre raciste, méritait bien les ennuis qui lui arrivaient. La véhémence du jeune homme à la tignasse noire la laissa sans voix. Kumaran serait un combattant, mais même lorsqu'il en viendrait à la violence physique, il continuerait d'être plus habile avec les mots. Son séjour en Angleterre fit de lui un chicaneur, un conspirateur – bref, un négociateur. La preuve : il n'est pas mort d'une blessure de guerre ni au champ d'honneur politique.

Après avoir rendu visite à Kalyani à Colombo, Kumaran écrivit à Justine pour lui dire de ne pas le rejoindre au Sri Lanka. De son côté, il retourna à Jaffna et à l'université. Puis, en 1976, il disparut. On n'entendit plus jamais parler de Justine ; le visage mélancolique de Meenakshi hantait néanmoins tous les esprits. Du moins, pendant un certain temps. C'était une camarade de classe de Vani mais elle ne lui adressait jamais la parole. Lorsqu'elle fut tuée, la famille de Kumaran se rendit malgré tout à son enterrement.

Presque vingt ans plus tard, un médecin acquis à la cause annonça à Kumaran qu'il souffrait d'un cancer en phase terminale. Les liens du sang sont plus forts que tout. Après avoir appris cette nouvelle, Kumaran fut prêt à abandonner les Tigres pour retrouver sa famille qu'il n'avait pas vue depuis une éternité et à quitter le pays. Victor lui fournit de faux papiers d'identité, un geste humain d'un homme qui aurait dû avoir perdu toute humanité. Kumaran partit pour le Canada, où il vécut à l'abri des regards. Il n'était pas seul, il avait emmené sa fille.

Il écrivit des lettres aux membres de sa famille, sans se soucier qu'elles puissent le compromettre, ne songeant qu'à son envie de les revoir. Et ils vinrent des quatre coins de l'Occident. Kumaran machan. Kumaran Anna. Notre Kumaran, notre chéri, notre bien-aimé. Est-ce bien toi ? Rasé de près pour la première fois depuis des années, il ne ressemblait pas aux photos de guerre où il occupait toujours une place à l'écart. Ils n'évoquaient pas la guerre, il s'y refusait. « Parlez-moi de vous, vos époux, vos enfants... » Il commençait déjà à perdre kilos et cheveux tandis que ses os saillaient comme un présage. Ses sœurs étaient avec lui, elles l'entouraient quand il expira.

Peu après sa mort, les Tigres rejetèrent une proposition assez proche de leurs exigences : pas de sécession, mais un gouvernement pour le Nord, doté d'une plus grande autonomie. Ses sœurs en deuil s'y intéressèrent à peine. Si l'assassinat de Vairavan avait été une initiation à la violence, le cancer qui avait rongé les os et empoisonné le sang de Kumaran – il avait perdu la vue à la fin – y mettait un terme. Elles n'accordaient pas la moindre attention à l'actualité, n'étant concernées que par la disparition de leur frère, cet homme sensationnel.

Mon père s'occupe tous les jours de personnes qui vont mourir. C'est son métier. Ses patients meurent et il est, contrairement à de nombreux médecins, souvent ému. Ses patients meurent. Jeunes. Pas à cause des bombes ou de la guerre mais parce que leur corps les trahit. C'est ce qui est arrivé à Kumaran. Quand l'un de ses patients meurt, mon père se rend à l'enterrement et, pendant la cérémonie, il n'est plus un médecin, il est en deuil. Il a réussi cette épreuve d'examen longtemps auparavant. Regarder le corps, et faire en sorte qu'il ne soit personne. Non, ce stratagème a fait long feu. Il a soigné ce corps comme si c'était le sien, il l'a connu non sexuellement, mais de façon intime et paternelle. C'est davantage qu'un corps. Murali a vieilli et choisi de rendre aux corps qu'il soigne le statut d'êtres humains, malgré le chagrin qui en résulte.

Le suicide est un honneur dans certaines civilisations. Ce n'est pas difficile à comprendre. Les croisés rêvaient secrètement de martyre : mourir en héros assurait la pérennité du nom. Le martyre anonyme, c'est très différent. Kumaran est mort dans l'anonymat, sans choisir sa façon de mourir. Un simple être humain, qui n'était plus un soldat. Est-il un martyr ? Je ne saurais le dire.

L'entrecroisement de l'amour et la guerre est étrange. Personne, à part les Tigres, ne connut l'identité de la mère de Janani. Kumaran ne la révéla jamais. C'est tout juste s'il en toucha un mot au cours de l'année qu'il passa chez nous, sans doute avait-il eu de multiples occasions de pratiquer l'art du secret pendant sa longue absence. Peut-être n'avait-il simplement pas envie d'en parler et lui suffisait-il de la retrouver dans sa fille.

Aussi bizarre que cela paraisse, Janani me rappelait, depuis le début, deux personnes : son père et moi. Nous nous ressemblions beaucoup malgré ses quatre ans de moins, son teint plus clair, sa minceur infiniment plus marquée que la mienne. Elle parlait couramment le tamoul, moins bien l'anglais, un peu le cinghalais. Elle ne réclama jamais vraiment sa mère, et je me trouvais généreuse de partager la mienne. Mes parents l'aidèrent à organiser son mariage et l'enterrement de son père.

Même maintenant, en pleine confusion, les parents orchestrent le Mariage Arrangé. Ils sont avant tout soucieux de protéger leurs enfants de cette découverte pourtant inévitable : dans ce monde si différent, la famille ne joue qu'un rôle secondaire. À leur grand désespoir, les parents tamouls et cinghalais voient leurs enfants se libérer du devoir de plaire à leurs ancêtres. Ils ont quitté leur pays pour nous donner des perspectives d'avenir, mais le Mariage à l'Américaine ne faisait pas partie de celles auxquelles ils songeaient. Nous vivons en fonction de notre intelligence, de notre cœur, de notre histoire – c'est la seule façon de survivre ici –, aussi avons-nous appris à aimer des êtres qui n'adorent pas nos dieux, ne se nourrissent pas comme nous, n'ont pas de liens de sang avec nous. Nos enfants ont deux races, parfois deux religions, souvent trois pays.

Si Kumaran rompit avec les Tigres la dernière année de sa vie, il n'en restait pas moins un des leurs. Il demanda pardon à mes parents pour son attitude à leur égard, pour la lettre menaçante qu'il avait écrite à mon père, pour tout.

Et pourtant, dans cette famille sri lankaise dispersée aux quatre coins du monde, on ne parle que de deux sortes de mariages : le Mariage Arrangé et le Mariage d'Amour. En réalité, il existe toutes sortes de variantes entre ces pôles, mais la plupart d'entre nous passent des années à fuir le premier en quête du second.

La plupart d'entre nous. Sauf Janani. À Toronto, elle fendait la foule sans se préoccuper des gens qui la regardaient, n'ayant peur de rien, ne s'émouvant de rien. Elle avait beau être parmi nous, elle n'était pas des nôtres.

Je dois faire un effort considérable pour me rappeler la vie paisible que nous menions avant l'arrivée de Janani et Kumaran. En Amérique, le mariage n'est pas la seule planche de salut et la peur ne gouverne pas nos vies. Les maisons ne brûlent pas – du moins pas pour les mêmes raisons. En revanche, l'amour, ou plutôt le sexe, est partout. Si le cœur de Murali ne murmure plus, il n'a jamais accepté la vulgarité et lorsque le sexe sous ses multiples formes l'agresse, il se bouche les yeux, il bouche ceux de sa fille qui ne comprend déjà plus le monde révolu et conservateur de son père.

Il n'a pas émigré dans ce pays pour que son enfant tombe amoureuse de façon si indécente. Sa fille, la fille de Vani, est un trésor. Elle a l'intelligence d'Uma et le mauvais caractère de Mayuri, sous-tendus par la volonté de fer d'Harini. De lui, elle a le cœur. C'est toutefois à Uma qu'elle ressemble le plus, davantage qu'il ne le souhaiterait, bien qu'il ne se l'avoue que dans l'obscurité. Personne

ne prononce tout haut le nom d'Uma depuis des
années. De même que Kumaran n'a longtemps été
qu'un fantôme.

À présent que je me rapproche de mon oncle, Murali se souvient d'Uma et de Kumaran, de leur jeunesse. Bien que la mienne ne ressemble en rien à l'interminable absence d'Uma et à l'interminable silence de Kumaran, je me retire moi aussi dans ma chambre, je ferme ma porte et m'isole. Je suis plus à l'aise avec un stylo qu'avec autrui. Murali, qui le remarque, ne sait comment réagir. Murali se souvient de son frère, Neelan, emmenant Uma au temple, il se souvient des yeux vides d'Uma au moment où le prêtre lui saupoudrait le front de cendres sacrées. Uma était tellement absente que lorsqu'on avait passé la lampe à huile du temple elle avait mis ses doigts dans la flamme au lieu de les laisser voltiger autour. Elle n'avait même pas eu conscience de la douleur. Murali sait désormais que l'on n'échappe pas à ses démons. Il pense que moi, Yalini, je ressemble surtout à Uma ; il pense que j'ai les yeux perdus ailleurs.

Janani : elle revêt un autre Sari Rouge de Mariage, fantôme écarlate surgi du passé. Elle l'essaie. Ma mère et ma tante le drapent et le re-drapent sur elle. Demain, elles se rendront sur les lieux de la cérémonie pour disposer les lampes et les fleurs.

On parle fort autour de la future mariée. Les femmes nattent ses cheveux, attachent ses bracelets de cheville et tressent, fleur après fleur, des guirlandes. Comme Murali longtemps auparavant, le fiancé a dressé l'autel. Le chant du Mariage est un chant de départ. J'entoure le cou de Janani d'un collier, tapote son sari, en ajuste les plis.

JANANI ET YALINI, LEURS FILLES

« La marque de la sagesse est de reconnaître la vérité
Quelle qu'en soit la source. »

Tirukkural, chapitre 43, ligne 3.

Les enfants naissent pour se marier et avoir à leur tour des enfants.

À ma naissance, Murali, mon père, trouva que je ressemblais à sa mère, Tharshi. J'avais son grand front. Ma tête noire luisait sous les néons éblouissants de l'hôpital. Murali eut la sensation que son cœur l'abandonnait, il le laissa aller avec un soupir. Une fille née dans ce pays, le mauvais pays, a plus d'une chance. En extase, il regardait le ballot qu'il tenait dans ses bras. Mes sourcils étaient aussi peu dessinés que ceux de ma mère et ma lèvre inférieure se tordait en une moue comme celle de ma grand-mère. J'aurais pu être n'importe laquelle et toutes à la fois. J'étais Uma, Harini, Mayuri, Tharshi… et Vani. Il aima la myriade de possibilités qu'offrait mon visage de nouveau-né, à la fois inconnu et familier.

Dès qu'ils me ramenèrent à la maison, suivant la tradition, mes parents me rasèrent la tête. Murali me tenait dans ses bras tandis que Vani rasait mon crâne le plus doucement possible – il paraît que ça

fortifie les cheveux. J'étais un bébé très calme.
Contrairement à Janani, qui, d'après mon oncle,
était un nourrisson potelé et geignard, je pleurais
rarement. Cette coupe de cheveux ne fut que la
première d'une succession de transformations.
Peut-être soupçonnaient-ils déjà que je ne serais
pas belle. Au début, je ressemblais à Vani puis j'ai
fini par ressembler à Murali. Chez moi, le visage
ovale et les traits de mon père deviennent quelcon-
ques ; je n'ai ni les traits ciselés de ma mère ni ses
pommettes hautes. Je suis née avec des yeux noirs,
qui se sont éclaircis au fil du temps.

Mon père voulait m'emmener dans son pays, au
Sri Lanka ; il souhaitait me présenter à sa mère. Il
ne se lassait pas de m'observer. Dès les premiers
mois, je me montrai très vive. J'ai ri avant l'heure,
parlé avant l'heure. Ma mère, maîtresse d'école, se
donnait beaucoup de mal pour me faire la lecture
tous les soirs. Je lui rappelais mes tantes par certains côtés. Elle ne les avait pas vues depuis une
éternité et elle était sidérée de les retrouver dans ce
petit bout qui lui appartenait. Du coup, elle prit
conscience que ça faisait une éternité qu'elle ne
vivait plus à Jaffna.

Comme ils ne pouvaient m'emmener sur les plages de sable fin et blanc du Sri Lanka, ils se rabatti-
rent sur les plages américaines qui, bien que
familières, ne les enthousiasmaient pas. Les gens
n'étaient pas ceux qu'il fallait, le sable, loin d'avoir
la blancheur quasi immaculée de celui des plages
cinghalaises, avait la couleur du résidu de thé au
fond d'une tasse. Ici, on recherche le soleil pour
essayer de bronzer. Au Sri Lanka, en revanche, les

sœurs de mes parents se protégeaient le visage qu'elles massaient avec de la crème pour l'éclaircir. Je m'éloignais de l'ombre du parasol que mon père avait planté comme un drapeau. Ma mère voulait me dire quelque chose puis elle se ravisa en se mordant la lèvre inférieure. Ce n'est pas une plage, pensa Murali. Il avait envie de nous emmener dans son pays, au Sri Lanka. Il avait envie de voir sa mère. Il avait envie que Tharshi rencontre Vani.

En 1985, la seule fois où je suis allée au Sri Lanka, le vol durait plus de vingt-quatre heures. Je n'avais que deux ans. Mon père se demandait si je me souviendrais de ce voyage. Sans doute pas, avait-il conclu avec raison. Mais il tenait à m'y emmener. Il ne le regretta pas. C'était quatre ans après l'incendie de la bibliothèque de Jaffna et deux ans après Juillet Noir. Dans quelques années, la guerre reprendrait de plus belle ; Ariyalai et Urelu seraient vidés de leur jeunesse. Mes parents retournèrent dans l'île, conscients que c'était la dernière fois. Mais comment dit-on adieu à un lieu ? Mon père s'interrogera plus tard à ce sujet. Pour l'heure, les conversations n'étaient pas encore tristes des séparations à venir. Au sein de sa famille, Murali s'abandonnait à la joie d'éprouver à nouveau un sentiment d'appartenance. Il avait oublié ce que c'était de parler sans se répéter. Il avait oublié la douceur des voyelles britanniques dans des voix tamoules. Il avait oublié la force silencieuse et la taille de sa mère qui, même dans sa vieillesse, était presque

aussi grande que lui, aussi grande que son père
l'avait été.

Il fut aux anges de constater que sa mère et sa
fille étaient fascinées l'une par l'autre. Tharshi me
serra dans ses bras et respira le mélange que formaient ma suave odeur de talc et le léger parfum
de jasmin et de bois de santal qui se dégageait
d'elle. Tharshi tendit un doigt desséché, autour
duquel je refermai aussitôt un poing moite. C'est
alors que Murali découvrit que j'avais le regard paisible de son père, auquel je me mis en effet à ressembler au fil du temps, ainsi qu'à mon père par
conséquent. Je voulus arracher le diamant étince-
lant du nez de Tharshi, qui tressaillit sous l'effet de
l'étonnement et de la douleur. C'est quoi, ça ? C'est
quoi, ça ? gazouillai-je. Le mukkutti – ma mère n'en
portait pas – était une nouveauté pour moi. À la
vue de l'expression de Tharshi, mon père éclata de
rire tandis qu'il ôtait ma main. « Ce n'est pas très
gentil ! » me gronda-t-il doucement. Tharshi frotta
son nez là où je l'avais tiré et me traita, en glous-
sant, de *Kulapadi* ! Vilaine fille !

Trois jours après notre arrivée, ma tante, Kalyani,
nous rendit visite avec mes cousins. Nous allâmes
tous à la plage. Nous nous entassâmes dans une
vieille voiture empruntée à un voisin et nous nous
éloignâmes avec un bruit de ferraille. À peine mon
père eut-il coupé le contact que ma mère ouvrit la
portière et enfonça ses pieds dans le sable. Elle respirait avec une allégresse qui n'échappa pas à son mari
dont le cœur, guéri depuis longtemps, murmura :
Quelle douceur ! Quelle chaleur ! Qu'est-ce que tu
fais ici ? Il était enchanté, ce cœur, d'avoir à nouveau

chaud. Mon père me regarda suivre mes cousins dans un endroit envahi de roseaux et tremper les mains dans la mer. Sur la photo qu'il prit de nous et que je découvrirai plus tard, nous sommes ravis et sales, les cheveux collés par le sel, le corps couvert de sable qui s'incruste sous nos ongles. Nos sourires révèlent nos bouches plus ou moins édentées. À deux ans, j'ai encore un visage rond, le teint clair, les cheveux courts et, nue jusqu'à la taille, je jubile, des coquillages dans les mains. C'est l'une des rares photos de famille où nous sommes naturels. Sur la plupart des autres, nous posons, un sourire de circonstance aux lèvres.

Une seconde après que mon père nous eut mitraillés, je ne souriais plus car une méduse m'avait piquée à la cheville. Le rouge violent de la cloque n'avait aucun rapport avec celui d'un Sari de Mariage. Mon père nous ramena à la maison. Je pleurai pendant tout le trajet.

Au cours de ce voyage au pays natal de mes parents, mon père disparut une journée. Ni ma mère ni personne de la famille ne firent allusion à son absence ; j'étais trop jeune, trop intriguée par cet environnement si nouveau pour m'en inquiéter. Comme à l'ordinaire, je jouais dans le jardin tandis que ma mère et ma grand-mère cousaient dans la véranda, le bourdonnement des insectes était couvert par nos cris d'enfants. Ma tante était partie travailler. Ma mère me montra de vieux albums dont les photos carrées couleur sépia étaient minuscules. D'après ma mère, je confondis mon père avec Jegan, ils se ressemblaient beaucoup. Il n'y avait aucune photo d'Uma, je ne m'en rendis évidemment pas compte puisque j'ignorais son existence. Et pendant ce temps-là, mon père, installé dans un train, se rendait auprès de cette sœur que personne n'oubliait.

L'établissement où séjournait Uma était situé à quelques heures d'Ariyalai. Tharshi était allée voir sa fille de temps à autre, mais celle-ci avait perdu sa

vivacité d'esprit. Les puissants neuroleptiques prescrits par les médecins qui coulaient dans ses veines
ralentissaient ses gestes et lui donnaient un regard
vitreux. Tharshi apportait quelquefois des victuailles qu'Uma mangeait cependant que sa mère
lui donnait des nouvelles de la famille. Au bout
d'un moment, celle-ci s'apercevait que sa fille ne
l'écoutait pas ; la tête penchée d'un côté, elle prêtait l'oreille à autre chose, qu'elle était la seule à
entendre.

Lors de ce retour aux sources, en 1985, mon père
n'avait pas vu Uma depuis son enfance. Il ignorait
même où elle se trouvait. Quand il posa des questions à sa mère à ce sujet, il comprit qu'elle s'était
résignée à l'état de sa fille cadette, sa bien-aimée.
Cela n'avait plus le pouvoir de la bouleverser,
comme autrefois.

Elle donna des indications à mon père sur le lieu
où séjournait Uma.

Après coup, mon père se féliciterait d'avoir
insisté pour voir sa sœur au cours de ce voyage.
Bien qu'elle fût plus âgée que lui, il prit conscience,
en la voyant assise dans la chambre – son refuge
depuis si longtemps –, qu'il était devenu plus vieux
qu'elle. Sa sœur était entourée d'objets liés d'une
façon ou d'une autre au monde civilisé et à l'ordre : débris de stylos, carnets à moitié rédigés, étagères remplies de livres que Tharshi lui avait envoyés
d'année en année, lettres entourées de ficelle. La
pièce était impeccable à l'exception du bureau derrière lequel elle était assise, où s'empilaient des
montagnes de paperasses. C'était à l'évidence le
centre de l'univers d'Uma dont les joues, maculées

d'encre, étaient plus creuses qu'au temps de sa jeunesse. Pour mon père, le désordre des objets sur ce
meuble destiné au rangement était la preuve que le
fil arachnéen qui reliait Uma confinée derrière sa
fenêtre à barreaux au monde extérieur s'effilait.

Lorsqu'il réalisa qu'il paraissait plus âgé qu'Uma,
il eut envie de pleurer mais il refoula ses larmes.
Dans ses souvenirs, sa sœur silencieuse, aux yeux
perdus ailleurs, était toutefois capable d'exprimer
la connaissance qu'elle avait d'elle-même et de son
environnement, elle évoluait dans le monde. Désormais, elle quittait ce monde chaque jour un peu
plus et si l'ailleurs transparaissait encore dans son
regard, celui-ci avait perdu de sa vivacité. Elle portait des lunettes à présent. Quant à ses cheveux,
toujours aussi longs, ils étaient d'un gris argenté.

Uma ne reconnut pas mon père. Il avait beau s'y
attendre, son cœur soupira lorsqu'il ne vit aucune
lueur dans les yeux de sa sœur. C'est moi, Murali.
Thambi. Ton Petit frère. Nous sommes du même
sang. En vain, elle ne se souvenait pas de lui.

Il lui avait apporté une photo de sa famille, Vani
me portait sur ses genoux et lui se tenait à ses côtés.
C'était une photo de studio où nous posions, impec-
cablement coiffés et sur notre trente et un. Au dos,
il avait noté, s'efforçant de rendre son écriture de
médecin lisible : Murali Thambi, Vani Thangachi,
Yalini. 1985. Uma garda le silence ; il traversa la
chambre pour déposer la photo sur le bureau.

Lorsque, des années plus tard, Tharshi tomba malade, le frère de mon père, Neelan, alla la voir. Tharshi savait déjà qu'elle ne reverrait pas mon père et sa famille. Murali, son plus jeune fils, était venu – sans s'en douter – lui dire adieu. Alors ce fut Neelan qui parla à sa mère jusqu'à ce que celle-ci se taise.

Il la crut endormie. Non… elle tendit une main qu'elle posa sur son bras. « Attends un moment, Rasa. » Levant les bras, elle commença à détacher ses boucles d'oreille, les mêmes diamants qui, Neelan le savait, avaient accroché le regard de son père autrefois. Et elle les posa au creux de la paume de mon oncle : « Donne-les à Yalini de ma part. »

Je ne reçus le cadeau que longtemps après, la première fois que Neelan et sa famille vinrent nous voir aux États-Unis. Mon oncle sortit un petit sac en soie de la pile de cadeaux qu'il nous avait apportés. Il me le donna et me fit signe de l'ouvrir. Les boucles d'oreilles roulèrent dans ma main, ces diamants cinghalais étincelaient infiniment plus que les pierres

américaines que mes parents m'avaient déjà don-
nées. De tout temps, on a offert des bijoux aux jeunes Tamoules de Jaffna même s'ils ne font plus partie
de la dot traditionnelle. Je devinai que ce n'était pas
un cadeau de mon oncle.

« Ta grand-mère voulait que tu les aies », m'expliqua Neelan.

Les tiges des boucles d'oreille, en très vieil or,
étaient trop épaisses pour les trous de mes lobes.
Ma mère me les prit et les fit tourner dans sa
paume.

« Nous allons les faire mettre à ta taille », dit-
elle.

On les avait déjà mises à la taille d'une autre, ces
boucles dont je ne connaissais pas encore l'histoire
ni la façon dont on les avait détachées des oreilles
brûlées de Kunju.

Ma tante Kalyani les emporta lors d'un voyage en
Inde et, à son retour quelques mois plus tard, elle
me tendit les très vieux diamants sertis dans une
nouvelle monture. On avait rajouté des rubis. Ma
grand-mère ne les quittait pas, mais en Amérique –
cela tombait sous le sens – ce genre de bijoux était
réservé aux grandes occasions. Sinon, Dieu aurait
pu reprendre un tel cadeau. Par-delà l'océan, une
grand-mère disparue depuis longtemps avait tendu
la main pour transmettre un héritage à sa petite-
fille.

J'aurai l'occasion de porter ces diamants, dans de nombreux mariages.

Le mariage est à l'origine de la famille, et vice versa. Peut-être est-ce la raison pour laquelle ma mère nous prend toujours en photo avant la cérémonie sous prétexte que nous sommes tous magnifiques. En fait ce n'est pas le fond de sa pensée. Jusqu'à sa mort, ma mère se démènera pour remplacer l'irremplaçable : les photos de sa famille perdues dans l'incendie de la maison de sa sœur en 1983, au Sri Lanka. Si vous demandiez à ma mère ce qu'elle emporterait si la maison prenait feu, elle vous répondrait sur-le-champ : les photos. Bien entendu.

Il en manque beaucoup de sa jeunesse, celles prises avant son départ aux États-Unis parce qu'elle n'en avait emporté que quelques-unes ; ainsi, il n'y a qu'une dizaine de photos de ma mère et de ses frères et sœurs. Ils étaient trois, ils ne sont plus que deux. Mon oncle Kumaran, qui n'était plus un Tigre, est mort du cancer ; ce fut l'une des rares fois où je vis ma mère pleurer, je lui ressemble quand je pleure : nos visages se froissent comme du papier en train de brûler.

À présent, Janani, la fille de Kumaran, se marie. Pour moi, cela signifie une autre métamorphose. Pendant des années, ma mère a cousu des blouses de sari dont aucune ne m'était destinée mais, quel que soit mon désir de ne pas être propulsée dans l'âge adulte, je suis trop grande désormais pour ne pas tenir compte des convenances. Voilà que ma mère m'enveloppe d'un coupon de soie brillante qu'elle drape sur mes hanches et mes épaules. Dans le miroir, je la regarde s'affairer, elle a des épingles plein la bouche. Debout dans un coin de la pièce, ma tante Kalyani donne son avis. « Un peu de mou par là », conseille-t-elle. Je réfrène mon envie de bouger et d'arranger le tissu d'une façon qui révélerait moins mes formes.

Une fille qui ressemble plus à son père qu'à sa mère ne sait jamais qui elle est vraiment. J'ai dû apprendre à écrire à la première personne, ça ne me vient pas naturellement. Je suis une scientifique dotée d'un amour passionné pour le détail, la troisième personne, la distance, mais on ne peut écrire sur sa famille sans écrire sur soi. Il faut être prêt à tout dire. Même si parfois, par facilité, je peux laisser le souvenir d'Uma ou celui de Kunju, la sœur jumelle, défigurée par les flammes, de Tharshi, s'estomper. Je veux qu'on lise ce récit plus tard, qu'on sache que j'aime ma famille, même mon oncle.

Je ne me rappelle que vaguement avoir appris à lire avec ma mère, peut-être parce qu'il ne s'agissait pas d'apprentissage mais de connaissance. Uniquement de connaissance. Cela m'arriva d'un coup comme une pluie d'été torrentielle. Je n'eus jamais à deviner le sens d'un mot. Un mot dans une phrase, c'était comme un enfant dans une famille – la mienne ; il était défini par les autres mots, tout comme je le suis par les membres de ma famille.

Mes mots se connaissaient, ils se définissaient les uns par rapport aux autres et, dès que j'en comprenais le sens, chacun acquérait une couleur ainsi qu'une place à part dans ma mémoire. Je les apprenais et les accumulais dans un coin de ma tête. J'aimais leurs formes et leurs teintes, la sensation qu'ils me donnaient d'être pleins et ronds et la façon dont l'encre se détachait sur une page blanche. Les mots recélaient des réponses.

À trois ans, je savais lire. J'adorais que ma mère me fasse la lecture le soir, avant de me coucher. Parfois, c'était moi qui lisais à voix haute. Assise à côté d'elle sur le lit, j'écoutais sa voix ou la mienne se frayer un chemin dans l'histoire. Au bout d'un certain temps, lorsque je la connaissais par cœur, je pensais, non au récit ni aux personnages, mais au plaisir sans mélange que me procuraient les sons. Ainsi, on aurait dit une promenade à l'intérieur de ces sons magnifiques puisque, lorsque nous lisions, nos voix claires scandaient chaque mot auquel elles donnaient une profondeur distincte. Je parvenais à me détacher de ma voix si bien qu'elle transmettait à la fois le mouvement et l'immobilité, et je franchissais le mur invisible entre le son et l'histoire avec un plaisir inouï. La beauté résidait surtout dans le rituel : le choix du livre alors que ma mère se tressait les cheveux, la position en tailleur que j'adoptais sur le lit, l'attente, l'ouverture à la première page de l'ouvrage avec ma mère. J'avais soudain l'impression de me dilater, de m'emplir des histoires dont je me souvenais et de celles dont j'anticipais la teneur. Je les recueillais comme de précieux secrets : la beauté d'Harini. La jumelle de

Tharshi. La folie d'Uma. La femme de Neelan. Le
thé de Logan. L'amour de mon père.

Ma mère pouvait m'occuper un week-end entier
pour peu qu'elle me laisse emprunter trente livres
à la bibliothèque. J'adorais les bibliothèques – il y
en avait deux en ville, et chacune avait sa propre
équipe de bibliothécaires et des recoins spéciaux,
cachés, où m'attendaient les livres. Les bibliothécaires qui m'aimaient beaucoup n'en revenaient
pas de leur chance d'avoir trouvé une enfant qui
voulait tout lire. Leurs visages sont restés gravés
dans ma mémoire, pas leurs noms. Tu as encore
grandi, disaient-ils dès qu'ils m'apercevaient même
si je venais pratiquement toutes les semaines. Il
m'arrivait d'y passer des heures, plongée dans la
lecture d'un dictionnaire médical.

Les vieux tapis, l'odeur de vieux papier et de ren-
fermé des bibliothèques me semblaient familiers.
La sensation d'être une oasis de jeunesse au sein
d'une époque de grande antiquité me ravissait. Ma
mère ne me permettait d'emprunter qu'autant de
livres que j'en pouvais porter. Nul doute que je
devais être ridicule : une toute petite fille, maigri-
chonne, binoclarde, aux énormes nattes, ployant
sous les livres – un fardeau sublime. Nous rentrions
à la maison ; je traînais le sac de toile bleu et blanc
déchiré, plein à craquer d'une douzaine de volu-
mes. À peine étions-nous à l'intérieur que je me
précipitais au rez-de-chaussée où une porte vitrée
coulissante donnait sur le jardin. Si je tirais le rideau
et que le soleil brillait, je m'installais sur la trajectoire d'un rayon dont la forme, l'angle d'incidence
et la chaleur me plaisaient. Après avoir placé mon

livre dans la flaque de lumière, je m'y plongeais si profondément que je n'entendais ni ma mère m'appeler pour le dîner, ni l'ami qui me proposait de jouer, ni mon père rentrer du travail.

Je lisais vite et tout ce qui me tombait sous la main. Lorsque je faisais des bêtises, ma mère me punissait en m'interdisant de lire. J'appris comment et où cacher un livre. Sous un matelas, c'est trop facile, on s'y attend. Si vous croisez les mains sur la poitrine, il est possible d'en dissimuler un sur son ventre. Pour m'amuser, j'en cachais quelquefois un derrière le cornouiller du jardin. Et ma mère, lorsqu'elle faisait le ménage, trouvait de temps à autre un recueil de poèmes ou un roman derrière le miroir de mon bureau ou dans le placard de la cuisine. Bien qu'elle m'interdise de lire certains ouvrages trop matérialistes à son gré, elle ne pouvait pas me surveiller tout le temps. Ainsi, j'étais une enfant dotée d'une vieille âme. Je me demande parfois si je n'en savais pas trop. Chaque jour, au retour de l'école, je m'asseyais dans la cuisine et lisais le journal de bout en bout. Le moindre article.

Est-ce que les histoires qu'ils relataient avaient la véracité de celle-ci, là n'est pas la question. En fin de compte, j'en arrive à la première personne, à la fin de l'histoire qui en est aussi le début. En renversant un arbre généalogique, on se rend compte que ses ramifications convergent vers un seul être. Toutes les femmes et tous les hommes qui m'ont précédée me constituent. Je suis le fruit de multiples Mariages.

L'alphabet tamoul compte deux cent quarante-sept lettres. À cinq ans, j'en récitais à peu près la moitié. Je parlais et comprenais le tamoul que j'ai oublié en grandissant. Comment ? Mystère. Il m'arrive de rêver en tamoul, mais je ne me souviens pas des mots à mon réveil ; ma mémoire n'en a gardé que cette trace fugace que laisse une fièvre ou une bénédiction.

Même mon père s'est mis à penser en anglais. Plus jeune, j'avais honte d'avoir trop de liens avec un pays qui n'était pas officiellement le mien. Je voulais être américaine. Maîtrisant l'anglais, je revendiquais ma naissance sur le sol américain. Quand mes parents allaient acheter les épices pour les plats de ma mère au marché sri lankais, je les attendais dans la voiture. À leur retour, ils sentaient le curry, le safran et la cardamome – odeurs exotiques et entêtantes que ma mère tentait de dissiper, à la maison, en allumant des bougies. À Toronto, j'appris à repérer tout ce qui était d'origine tamoule : nourriture, temples, coutumes. Des générations avant moi, l'éducation de Kunju était passée par le chant, mais mes parents durent m'obliger à psalmodier des prières qu'elle savait par cœur. L'hymne national du Sri Lanka est le seul air que j'ai appris sans protester. Je l'ai chanté une fois au temple.

Toutes les femmes ont pleuré. Sauf ma mère.

Je suis née au sein d'une communauté de médecins sri lankais, de leurs épouses et de leurs enfants. Aucun ne se doutait que ma famille déménagerait. L'hiver, ma mère avait mal aux pieds à cause du froid ; ce fut une des raisons pour lesquelles nous avons fini par partir pour un climat plus clément. Son âme d'insulaire, habituée à la chaleur, détestait les températures glaciales. Dans le nouveau pays, nous étions les seuls Sri Lankais.

Après notre départ, je faisais un rêve récurrent : je me réveillais et errais dans toutes les pièces de la maison que nous avions quittée. Ma navigation était brutale, ma boussole déréglée. Je me cognais aux murs et aux tables, me blessais. Je n'avais pas plus de huit ans. La maison avait changé, les murs ne se trouvaient plus aux mêmes endroits que dans mes souvenirs. J'étais perdue. Je n'arrêtais pas d'entendre des gens autour de moi, ma mère préparait le petit déjeuner dans la cuisine, mon père parlait au téléphone avec quelqu'un de l'hôpital. En fait, il s'agissait de bruits que je suivais mais le ronronnement du fourneau s'évanouissait dès mon entrée dans la cuisine déserte. Le téléphone était décroché. Mon père n'était pas là. L'empreinte de ses pieds s'était imprimée sur le tapis. Il était parti.

J'ai fait ce rêve pour la première fois juste avant notre déménagement. Je me suis réveillée en nage, glacée, l'estomac noué. J'ai repoussé les draps et posé un pied hésitant sur le parquet dur et lisse. Je suis passée méthodiquement d'une pièce à l'autre, à la recherche de quelqu'un – n'importe qui. J'ai d'abord cru qu'il n'y avait personne. La maison était silencieuse. À l'étage, dans toutes les chambres désertes, l'empreinte des corps dans les lits était le seul signe qu'elles avaient été occupées. Lorsque je descendis l'escalier, j'étais au bord des larmes mais je trouvai enfin ma mère que ma panique inquiéta. Rassurée de la voir, je comprenais que les murs n'allaient pas vaciller autour de moi.

Je ne suis retournée voir cette maison qu'une seule fois depuis que nous l'avons quittée. Mes parents durent me la montrer. Les nouveaux propriétaires ont repeint en noir la porte qui était rouge lorsque nous l'habitions.

Même dans ma famille, je suis une scientifique. La première fonction du médecin est de retrouver le passé médical du malade.

Quand je l'interroge sur la famille, c'est mon père qui se lance. Il me surprend, ce qui arrive rarement. C'est la famille de ma mère qui m'a entourée et prise dans son giron. Mais la dispersion de sa famille – Australie, Angleterre, Allemagne, France, Canada – permet à mon père d'avoir du recul vis-à-vis d'elle. De loin, il peut désapprouver, apprécier, juger, aimer, faire des compliments qui ont d'autant plus de valeur qu'ils sont évalués à l'aune d'aspects de son passé dont il ne se souvient pas avec plaisir.

Vautrés sur un lit à Paris, où nous rendons visite à des parents, mon père et moi, épaule contre épaule, parcourons un cahier noir où j'ai noté ce que je sais des noms et des histoires de notre famille. Je l'écoute énumérer des noms et hésiter lorsqu'il s'agit des membres les plus éloignés de sa lignée. Il ne se rappelle pas tous. Ma mère, indignée, trouve cela honteux. Mais j'ai découvert que mon père ne collectionne pas les noms, il collectionne les personnalités comme des perles, épris des nuances et de toutes les imperfections de ces bijoux. Les familles de mes parents n'embrassent d'ailleurs pas leurs enfants de la même manière. Dans celle de ma mère, les baisers sont fermés, on appuie le nez comme si on voulait vous aspirer. Dans celle de mon père, les baisers sont ouverts, on avance les lèvres, on fait du bruit, on ne cache rien. Murali hésite en me regardant consigner ses paroles, quant à Vani, elle s'interrompt brusquement quand elle voit mon stylo courir sur le papier, notant ce qu'elle raconte d'un vieux désaccord entre deux branches de la famille.

« Pourquoi écris-tu ça ? »

Toutes les trois – ma tante, ma cousine et ma mère – me regardent, alarmées. Nous sommes serrées autour de la table de la cuisine, baignée par la lumière que la neige rend encore plus éblouissante.

« Pourquoi écris-tu ça ? répète ma mère.

— Pour l'histoire. Pour savoir.

— Ça ne sert à rien d'entretenir de vieilles rancœurs.

— Je ne les entretiens pas, protesté-je. Je me contente de noter. »

Elles ne comprennent pas l'importance de l'histoire ou du passé médical dans le cas d'un patient. La prévention de maux de l'avenir par la connaissance du passé. Même ma cousine, qui n'a que quelques années de plus que moi, est de leur avis. Cela ne m'empêche pas de noter le récit de ma mère une fois remontée dans ma chambre. Faute d'être consignée, l'histoire pourrait se répéter dans cinquante ans – deux familles brouillées sans savoir vraiment pourquoi.

Un Noël en Angleterre. Il pleut.

Comme tous les jours dans ce pays.

La cousine de ma mère nous conduit à l'autre bout de Londres chez la cousine de mon père où nous passerons la nuit avant de partir pour la France. Nous sommes en retard. Nous sommes restés trop longtemps à une autre réception. Nous nous garons devant la maison, illuminée par un va-et-vient de voitures. C'est pour que mon père puisse voir tous les membres du clan en une fois que sa cousine organise cette fête en son honneur. Mon père trébuche en sortant de la voiture, son impatience est aussi visible que celle d'un enfant. Je ne l'ai jamais vu dans cet état.

D'un pas mal assuré, il franchit la porte, traverse le vestibule et entre dans une pièce éclairée où l'attendent presque tous les parents qu'il possède en Grande-Bretagne. Une cinquantaine de personnes environ. Ma mère, toujours à l'aise contrairement à lui, le suit. Aux aguets, les yeux rivés sur mon père, je ferme la marche avec l'impression de débarquer sur une autre planète où il faut exécuter les pas de danse de la sociabilité. Nous présentons nos visages à la cousine que nous n'avons jamais rencontrée et serrons les mains de ses enfants qui sont incroyablement séduisants.

Nous mangeons lentement. Les plats se succèdent : tartes, cheesecakes, riz, currys. Nous y faisons honneur tout en regardant mon père, très gêné d'être le point de mire. La conversation entre ma mère et les femmes qui l'entourent me sidère. Elle me fait valoir auprès d'une parente, puis d'une autre. Elles parlent de moi à la troisième personne, comme si je n'étais pas là. Non par indélicatesse mais parce que c'est l'usage. Les aînés comparent leurs patrimoines : leurs enfants ; la réussite s'évalue à l'aune de la leur. Pour cette branche de la famille, je suis un objet de curiosité car mon dernier séjour en Angleterre remonte à une dizaine d'années. Ils se souviennent de moi comme d'une petite fille maigre, binoclarde, un rat de bibliothèque aux cheveux aussi longs que ceux d'Uma. Et ma mère me présente telle que je suis devenue – une adulte malgré mon manque d'expérience et mes cheveux courts.

« Qu'est-ce que tu étudies ?

— L'anglais.

— Où ça te mène ?

— Peut-être à la médecine. Je ne sais pas. En Amérique, on n'est pas obligé de savoir.

— Ah bon. »

Elles hochent la tête, d'un air entendu. En Amérique, l'incertitude est permise. Je réprime un soupir, contente qu'on ait refusé à mon père le visa

pour le Royaume-Uni qu'il avait demandé longtemps auparavant. Elles m'adressent un sourire
approbateur ; il n'est pas hypocrite mais convenu.

Il se produit ensuite un incident inattendu. Les
propos légers sont tout à coup interrompus par une
bagarre au fond de la pièce qui oppose deux hommes aussi ivres qu'ils auraient pu l'être à Jaffna mais
qui là ont moins de raisons de l'être. Deux enfants
se réfugient en hurlant auprès de leur mère. Deux
femmes – je me rendrais compte plus tard qu'elles
sont jumelles – tentent de retenir les hommes. Les
autres invités sont pétrifiés. L'un des deux hommes
se bagarre contre la femme qui tente de le retenir ;
il la repousse, gesticule. Mon père déplace son
mètre quatre-vingts dans la pièce en un clin d'œil.
L'homme saisit une bouteille de vin vide puis lève
le bras au-dessus de sa tête pour se débarrasser de
la femme, il se cabre comme un cheval emballé,
prêt à frapper le crâne de son adversaire avec la
bouteille. Un autre homme s'interpose entre les
deux jusqu'à ce qu'ils se calment. Personne ne
comprend l'objet du litige. Je croise le regard de
mon père, dont le visage horrifié est le reflet du
mien : ça aussi c'est la famille. À ma gauche, ma
mère s'est muée en statue de marbre. Mon père, si
modéré, semble sous le choc. Il avait oublié les passions de sa jeunesse et il y est provisoirement
ramené.

Cette pièce était bondée de gens qui voulaient me serrer dans leurs bras. Je n'en connaissais aucun. Mon père me les présenta : une tante préférée, un cousin qui était allé à l'école avec lui, le beau-frère de son cousin issu de germain... Je suis perdue. Aux États-Unis, ces noms seraient stupéfiants. À Londres, au sein de la communauté des Sri Lankais et d'autres immigrés d'Asie du Sud, ils se bonifient avec le temps ; plus celui-ci s'écoule, mieux ils roulent sur la langue, leur sonorité a quelque chose de soyeux. Devan. Yogamani. Balasubramanian. Jeyalakshmi. Si j'avais grandi dans cet océan de noms, au milieu de cette extension coloniale, peut-être aurais-je ressemblé à ces gens, bien dans leur peau et à l'aise les uns avec les autres.

Mes parents m'ont appelée Yalini, ce qui signifie « musique de Jaffna ». Je ne me rappelle pas Jaffna, mais je sais que c'est le lieu d'un passé révolu et de chants sacrés. Un lieu où je ne peux retourner.

La veille du mariage de Janani, que j'en suis venue à me représenter comme un jour de deuil, je dîne en famille. J'ai l'impression que ma cousine et moi ne nous reverrons jamais après la cérémonie. Nous ne nous manquerons pas, mais nous sommes de la même famille. C'est donc un devoir de passer cette dernière soirée ensemble dans la maison où Kumaran est mort et où il nous a aimées toutes les deux. D'un amour différent.

Voici ceux qui restent d'une famille : Murali, Vani, Janani, Yalini. Nous invitons Lucky et Rajie parce qu'ils se sont comportés comme s'ils en faisaient partie et que leur présence honore la mémoire de mon oncle que nous avons perdu il n'y a pas si longtemps. Nous nous asseyons autour de la table et nous partageons un repas végétarien, car il est de bon augure pour ce genre d'occasion. Aucun de nous, Janani sans doute encore moins que les autres, ne connaît Suthan mieux que le premier jour où nous l'avons rencontré. Pour quelle cause milite-t-il ? Qui Janani va-t-elle épouser ?

En mon for intérieur, je la supplie : Tu n'es pas obligée de faire cela. Évidemment, je ne lui dis pas.

J'ai raison. Tandis que ma mère sert le riz, un Tamoul de Toronto, rival de Suthan, armé d'un coupe-boulons, s'approche du Centre de la communauté tamoule. Grand et maigre, à peu près de la taille et de l'âge de Suthan, il est également vêtu de noir. En revanche, il est barbu. Il a attendu l'obscurité avec quatre acolytes.

Ma mère sert le curry de pommes de terre, plaçant une portion généreuse saupoudrée de safran près de chaque coussin de riz blanc. L'inconnu pénètre dans le centre ; en quatre gestes impérieux, il expédie ses comparses aux quatre coins du bâtiment, pour vérifier qu'il est désert. Ils n'ont pas l'intention de tuer qui que ce soit. Après tout, les choses commencent rarement ainsi. À l'instant où mon père demande une nouvelle ration de sambol[1] de coco, l'inconnu balaie les murs de la salle principale avec sa lampe torche, révélant décorations, cartes du Sri Lanka, et dieux hindous. Il a enfilé des gants de cuir. Il ne se laisse pas distraire : il pourrait faire ça n'importe où. Il répand de l'essence sur tous les tapis ainsi que sur la structure en bois du manavairai, l'autel de mariage que Suthan a dressé pour Janani et qui, le lendemain, aurait été décoré de fleurs.

Ma mère prépare le thé d'après dîner. Comme dessert nous avons droit à du vattalappam[2]. Les

---

1. Condiment à base de piment, noix de coco, poisson séché.
2. Pudding à base d'œufs et de cannelle.

hommes fouillent les pièces en quête d'objets de valeur, veillent à la fermeture des fenêtres tout en s'assurant que les rideaux sont imprégnés d'essence. Comme nous saluons Lucky et Rajie, l'inconnu monte l'escalier, entre dans la pièce où Suthan a laissé le Sari de Mariage Rouge qu'il a prévu d'offrir à Janani pendant la cérémonie. L'inconnu s'en empare ; il respire sa nouveauté ; il le déplie pour admirer le pallu, la bordure brodée qui retombe sur l'épaule de la mariée. À sa façon, il respecte la tradition car son geste en fait partie.

Il repose le sari. Ma mère propose une autre tasse de thé à mon père, qui refuse. L'inconnu met une cagoule, puis redescend au premier étage. Il laisse derrière lui une traînée d'essence. Plus tard, je repenserai à Rajie, debout devant le stand de plats à emporter, me désignant les endroits où un Tamoul avait tiré sur un autre, sans raison. J'aide ma mère à desservir. L'homme referme la porte derrière lui, enlève le verrou forcé et s'éloigne. Je laisse Janani aller se coucher pour sa dernière nuit de célibataire. L'homme monte dans une voiture garée à environ un pâté de maisons du centre tamoul. Je me lave le visage. Il jette un regard au bâtiment par-dessus son épaule ; il démarre et fait le tour du centre pour récupérer ses amis qui sortent par les portes latérales de l'immeuble et le rejoignent. De sous ses pieds, il sort quatre bouteilles remplies d'essence et de sucre – les éléments de base. Dans chaque goulot, il y a un chiffon imbibé d'essence, maintenu par un bouchon.

Comme je monte l'escalier pour me rendre dans ma chambre, je n'entends pas un bruit. Plongée

dans l'obscurité, la maison est parfaitement silencieuse maintenant que le souffle saccadé de mon
oncle s'est tu. L'inconnu sort des allumettes de sa
poche, en gratte une sur ses dents et allume chaque
mèche tour à tour. La maison est silencieuse. À
quelques kilomètres de là, dans un endroit désert,
un inconnu tend deux bouteilles enflammées aux
hommes assis derrière lui dans la voiture. Ils baissent les vitres tandis que l'inconnu compte jusqu'à
trois. Telles deux étoiles filantes, les bouteilles tour-
noient dans l'air. Au moment où deux autres suivent, les premières ont déjà fracassé les fenêtres de
la façade.

Le bâtiment s'illumine progressivement. Ces
hommes sont des gens simples : pas d'explosif C-4,
pas de détonateur, pas de câbles complexes. Une
étincelle strie une traînée d'essence, d'autres s'em-
brasent jusqu'à ce qu'une corolle flamboyante se
referme comme un poing sur le centre où Janani
devait se marier.

Nous sommes dans un pays différent, à une époque différente.

Mais l'immeuble explose.

Il explose.

Suthan : le plus terrifiant, c'est qu'il ne soit pas étonné. À mon réveil le lendemain matin, je l'entends parler en bas, plus vite et plus fébrilement que jamais auparavant. En tendant l'oreille, je me rends compte que son père ne l'a pas accompagné. Je descends. Il parle à mon père et à Janani. J'entends les mots explosion, incendie criminel et disparu.

« Qu'est-ce qui se passe ? »

Suthan regarde l'intruse que je suis pour lui.

« On a mis le feu au centre de la communauté, explique-t-il.

— Qu'allez-vous faire ? »

Janani et mon père échangent un regard. C'est sa décision à elle, cela n'a jamais été celle de Murali, sans quoi ce mariage n'aurait pas lieu.

« Nous nous marions toujours, déclare Suthan, l'air déterminé et les traits durcis par la nécessité de se battre. Au temple à la place du centre. Aujourd'hui. Sans délai. »

Ce combat n'a aucune noblesse. Il n'a aucun rapport avec les gens qui meurent dans un autre pays.

Il s'agit d'une lutte pour un territoire, aujourd'hui, dans une ville d'Occident. C'est une affaire personnelle, comme l'a si bien expliqué Rajie. Les gens profitent de cette guerre. Au Sri Lanka, grâce à la vente d'armes et au marché noir. À Toronto, d'une autre manière.

Je regarde Janani. Mon père aussi. Non sans impatience, Suthan penche la tête vers elle.

Elle réfléchit, prenant son temps comme si elle en avait à revendre, comme si personne n'attendait qu'elle s'exprime. Et puis, lentement, elle hoche la tête.

« Oui, dit-elle. Oui. »

Kumaran : en pensée, je ne cesse d'enterrer mon oncle. Il est mort ici, à Toronto, et ses obsèques ont pris l'allure d'une affaire d'État, de l'État tamoul qui existe ici, une île loin de l'Île dont le souvenir ne nous quitte pas. Même moi je me rappelle ce pays à cause de Kumaran. Et aussi parce que j'ai été élevée dans une maison où on était incapable de l'oublier, où on m'a enseigné un langage et un code destinés à évoquer une guerre ne disant pas son nom. Enfant, je lisais sur l'assassinat de Tamouls, sur l'incendie d'une bibliothèque tamoule. J'ai connu une femme qui, en regardant le journal télévisé, avait vu sa mère exploser sous ses yeux. J'ai entendu parler de la disparition de Tamouls, de tortures infligées aux Tamouls, de Tamouls s'entre-tuant. J'ai acquis un certain vocabulaire. J'ai appris qu'un gouvernement pouvait tuer son propre peuple et le pousser à commettre des crimes indescriptibles. J'ai compris que personne n'a raison, mais que certains ont plus tort que d'autres. Kumaran m'inspirait à la fois de la haine et de l'amour.

On a incinéré son corps ici, à Toronto. Comme il n'avait pas de fils pour allumer le bûcher, mon père s'en est chargé. À sa mort, Janani et moi avons fini par avoir quelque chose en commun : bien qu'elle n'en parlât pas, je savais qu'elle faisait la même chose que moi. Nous l'enterrions à Jaffna. Elle connaissait les rituels de la cérémonie tandis que j'inventai les miens. Mais nous l'avons toutes deux incinéré là-bas. Je recommence aujourd'hui, à l'occasion de son mariage. N'était la guerre, il aurait voulu mourir à Jaffna.

C'est au kalyānam de ma cousine Janani, à son mariage – le premier de ma génération dans la famille –, que je découvre et apprends le rituel des noces hindoues. J'observe ce qui se passe tout en me demandant s'il m'arrivera un jour d'être à la place de Janani, qu'il s'agisse d'un Mariage Arrangé ou d'un Mariage d'Amour, et de porter le Sari Rouge. Je suis moins mûre qu'elle à plus d'un titre bien qu'elle ait quelques années de moins que moi.

Ni ma mère ni moi ne nous fions à mon expérience en matière de tenue traditionnelle ou de convenances, aussi est-ce elle qui me drape dans mon sari comme lors des essayages. J'ai maigri depuis qu'elle a cousu la blouse et mes bras flottent dans les manches qui devraient être ajustées. Je porte les boucles d'oreilles de Tharshi. Ma mère ne me déclare prête qu'après avoir trempé son petit doigt dans une pâte noire et avoir tracé sur mon front le signe réservé aux jeunes filles. Ma mère s'applique chaque matin le point rouge des femmes mariées comme cela se fait au Sri Lanka ; je n'y consens moi qu'à l'occasion de mariages.

Ma mère, mon mentor de toujours, m'apprend les usages à respecter dans un temple où règne une extrême propreté. Il faut se déchausser et se laver les pieds avant d'y entrer de même qu'on ne pénètre pas dans la plupart des maisons hindoues sans le faire. Il faut s'asseoir en tailleur et veiller à ne pas offenser les dieux en pointant les orteils dans leur direction. « Est-ce que tu as tes règles ? Rappelle-toi que si tu les as, les prêtres ne t'admettront pas dans le temple. »

Le jour des noces de Janani, j'entrerai pour la troisième ou quatrième fois dans un temple. Dans mon enfance, celui qui se trouvait près de chez moi était en cours de construction. Des Hindous venaient de loin pour se marier dans une maison située près du chantier qui faisait office de temple où on adorait les dieux, et où les prêtres indiens ne portaient qu'un vêtement blanc noué à la taille. Ils attachaient des cordelettes couleur safran autour de leurs poignets et chevilles en guise de porte-bonheur. Ils lavaient les dieux qu'ils habillaient de soie. Ils leur offraient du lait, du miel et du yaourt. Ils les ornaient de couleurs vives : rouge, safran, mais aussi des cendres sacrées, appelées viphuti, à l'odeur suave. Une fois qu'ils avaient fini d'en oindre les dieux, nous arborions ces couleurs rituelles d'adoration. Je n'adressais pas la parole aux prêtres, la plupart ne parlaient pas anglais, et j'interrogeais ma mère chaque fois que je ne comprenais pas ce qui se passait. Agenouillée à côté ou derrière elle pendant les prières, je l'imitais. Je me levais, tapais des mains, me purifiais à la flamme du feu sacré que tenait le prêtre en même temps qu'elle.

Je me souviens qu'au cours d'une cérémonie spéciale, ma mère et moi avons marché parmi un groupe de femmes qui suivait des hommes transportant une litière en or ciselé où trônait l'un des dieux. Pourquoi ne pouvions-nous pas la porter, ai-je demandé à ma mère. Sans quitter des yeux la litière qui tanguait sur les épaules des hommes, elle m'a répondu : « Il n'y a pas de femme-prêtres. Les femmes n'ont jamais transporté les dieux. »

La maison contenait tous les dieux du temple, y compris les neuf planètes. Ma mère m'a appris que nous tournons autour de ces neuf déités en priant. Chacun de nous possède une étoile de naissance ou natśattiram. Ma mère m'a appris qu'au cours d'une certaine prière, le prêtre nous demande quelle est la nôtre. Il faudra me souvenir si je me marie un jour de la mienne : swathi ; mes parents consulteront un astrologue pour savoir si ma position correspond à celle de mon promis. Enfin, s'ils se révèlent superstitieux.

Dans une cérémonie de mariage, l'autel est le lieu le plus sacré. Décoré de fleurs, il est orienté à l'est, où se lève le soleil. Le rituel est suffisamment complexe pour que les Sri Lankais des États-Unis aient besoin d'un guide expliquant les différentes étapes, du début à la fin.

Le prêtre récite les noms des ancêtres respectifs des fiancés et invoque leur bénédiction. D'après mon père, les ancêtres ne sont pas une présence permanente au Sri Lanka. Ils ne sont là qu'au début et à la fin de l'existence d'un être, au moment de son apparition sur l'île et de sa disparition. Et aussi à son Mariage.

Lorsque Janani m'a affirmé vouloir se marier, je ne l'ai pas crue ou pas comprise. C'était au mois de mars, juste avant la mort de son père. Nous étions assises dans le jardin froid et gris où Kumaran ne se promenait presque plus. Mon père lui donnait des calmants quatre ou cinq fois par jour.

« Je veux me marier ici, m'assura-t-elle. Comme ça, je serai partie prenante de qui se passe là-bas. À jamais.

— C'est de toute façon le cas », lui dis-je.

Elle ne me crut pas.

Son père mourut en avril, tandis que les premiers brins d'herbe surgissaient dans le jardin gris situé derrière cette étrange maison qui ne nous appartenait pas mais qui commençait à ressembler à notre foyer puisqu'elle avait été le théâtre de tant d'événements de nos vies personnelles. Nous avions veillé sur Kumaran. Nous avions préparé ses repas dans la cuisine. Nous y avions dormi – la mort de mon oncle dans l'un des lits était, de toute évidence, l'événement le plus intime. Si certains refusent de rester dans les lieux où ils ont perdu un être cher, moi je refusais de quitter cette maison parce que j'y avais appris à connaître Kumaran. Il me semblait que si je sortais dans le soleil printanier de Toronto, j'aurais l'impression d'évoluer dans un monde où il n'avait jamais existé.

C'était sûrement pire pour Janani. Il s'agissait de son père. Du moins, je le suppose parce qu'elle n'en parlait pas. Quant à moi, j'avais de la chance : mon père, un homme exceptionnel, était toujours vivant. Janani souffrait non seulement d'avoir perdu son père, mais de la façon dont ça s'était passé et du pays où ça avait eu lieu, qu'elle ne considérait toujours pas comme le sien. Pourtant son père s'y était installé sans problème et il y était mort. Il avait fait preuve d'une capacité d'adaptation qui n'aurait dû surprendre personne et qui avait étonné tout le monde. Janani écoutait parfois à la porte tandis que mon oncle me racontait des épisodes de sa vie, et je me demandais si elle les connaissait déjà ou si elle lui en voulait. Janani avait, elle aussi, reçu une formation drastique et grandi au sein du mouvement auquel elle croyait peut-être toujours contrairement à son père. Or Kumaran ne me parlait pas seulement de politique, mais de Meenakshi, qu'elle n'avait jamais connue ; de Justine, qui venait d'ailleurs, d'un monde qu'elle ne connaissait pas. Avant de quitter le Sri Lanka, Janani n'avait sans doute jamais vu le moindre Blanc. À mon avis, les amours de son père la consternaient – qu'elle eût été au courant auparavant ou pas. Elle aurait souhaité qu'il aime le peu de choses qu'elle connaissait et la franchise dont il faisait preuve envers moi lui restait en travers de la gorge, faute de comprendre pourquoi il avait le sentiment de me devoir quelque chose. Jusque-là, elle n'avait jamais eu à le partager.

« Janani m'en veut beaucoup », me déclara-t-il, un des derniers jours de son existence. Il est vrai qu'elle avait beau, au fil des mois, entrer de plus en plus souvent dans la chambre de son père et s'y attarder, elle ne lui parlait pas. Même quand ils étaient seuls, je n'entendais rien quand je passais devant la porte. À peine une phrase, quelques mots en tamoul de temps à autre : « Tu as soif, Appa ? » Parfois, mon père venait ausculter mon oncle. Il apportait un petit gobelet d'eau et des comprimés à Kumaran, qui les avalait très difficilement. Il avait souvent mal à la tête et me demandait de tirer les rideaux pour occulter la lumière maussade de la neige. En revanche, il ne cessait presque jamais de parler.

« Ma fille hait ma liberté de pensée mais toi tu ne me hais pas alors que ma présence entrave ta liberté, fit-il observer un jour.

— Tu n'es pas là pour longtemps, tu ne me prives de rien », protestai-je.

Inquiets, les yeux grand ouverts, il poursuivit :

« La question n'est pas là ! Les Tigres n'ont autorisé mon départ qu'à condition que ma famille leur soit loyale. Je leur ai fait une promesse ; ils ont beaucoup d'adeptes ici. Nous avons conclu un marché : ma venue au Canada contre la garantie que tes parents et toi vous vous mettiez au pas. Rien de spectaculaire, simplement l'impossibilité de prendre position contre eux.

— Je n'ai rien promis.

— Il arrive que d'autres fassent des promesses à votre place. Dans la vie, les choses ne se passent pas toujours aussi facilement qu'on le souhaiterait. L'important n'est pas la liberté d'expression ou d'action – il suffit de dire ce qu'il faut pour ne pas te mettre en danger – mais la liberté de pensée.

— Si quelqu'un t'avait tenu ce discours quand tu t'es enrôlé dans le mouvement, tu n'aurais pas été d'accord. Ça compte ce qu'on fait ! Je ne peux pas agir en contradiction avec mes idées.

— Même pour t'éviter ou éviter à tes parents de la souffrance ? »

J'entends encore ses phrases et je continue à refuser de me rallier à son opinion même si je sais que Janani arbore un visage froid et impassible parce qu'elle ne s'est pas encore habituée à la possibilité d'un avenir.

En avril, avant sa mort, une fois la période des frimas passée, mon oncle changea encore davantage de physionomie tandis que ses migraines s'intensifiaient. Un jour où je faisais la vaisselle dans la cuisine, je jetai un regard dans le jardin par la fenêtre devant l'évier. Je le vis tomber, le corps secoué de spasmes, les yeux révulsés. Le hurlement que poussa ma mère me parvint malgré la vitre, aussi montai-je quatre à quatre prévenir mon père. Il dévala l'escalier et, attrapant un torchon au passage, se rua dehors. J'avais entendu parler de ce qu'il fallait faire pour empêcher les victimes d'attaques d'avaler leur langue ; en l'occurrence j'avais du mal à remuer la mienne. Quoi qu'il en soit, mon père enfonça le torchon dans la bouche de Kumaran, tout en agrippant ses épaules pour tenter de calmer ses convulsions.

En les regardant, je sentis la bile me remonter dans la gorge. Je la refoulai. Deux hommes d'un certain âge qui vieillissaient, l'un d'eux en bonne santé et vigoureux, l'autre à l'agonie. Au départ, on aurait prédit l'inverse. Si brève que fût la crise

– quelques minutes tout au plus – elle fut terrifiante à cause de son intensité. Janani, qui m'avait rejointe, regarda par la fenêtre, d'un air tellement indifférent que je fus effarée.

« Ça arrivait tout le temps à la maison, dit-elle. C'est ainsi qu'on a compris qu'il était malade. En plus de ses migraines. »

Mais le plus effrayant, c'était la voix de mon oncle ; je mis très longtemps à me rendre compte qu'elle faiblissait. En fait, il en perdait le contrôle. Tantôt il s'exprimait distinctement et avec une grande lucidité, tantôt il répétait une histoire qu'il avait déjà racontée en la situant à une autre époque avec d'autres personnes, tantôt il modifiait les évènements. Ses yeux semblaient ne plus rien voir et se tourner vers des images intérieures. Son visage changeait. Le mien aussi tandis que je l'observais.

J'ai de la chance : j'ai grandi en sécurité, entourée d'affection. Aucun gouvernement n'a envoyé de soldats dans mon village. Je n'avais pas peur de voir ma maison brûler ni de perdre mes photos. Je n'avais pas peur de mourir ni de manquer de nourriture. Jamais je n'ai fait la queue pour une ration de riz ni dormi dans un temple. J'ai vécu dans l'opulence. J'avais tellement à manger que, regardant mon oncle mourir, j'oubliais de le faire. À force d'observer les transformations que subissait son visage, j'en vins à haïr les miroirs qui me renvoyaient l'image du mien en pleine santé. Il ne s'agissait pas de la haine que Kunju, disparue depuis des lustres, éprouvait pour son reflet après son accident, cette répulsion envers mon image était un acquis, elle n'avait pas jailli comme les flammes qui avaient dérobé à Kunju son visage.

Cela m'est arrivé peu à peu, un matin après l'autre, à la manière de gouttelettes qui se rassemblent pour former une flaque. Et j'ai bu cette eau empoisonnée de mon plein gré. Je suis du genre à

scruter les changements de mon visage dont la
moindre cicatrice, la moindre irrégularité me sont
familières. Je connais parfaitement les méplats et
les angles de ma géographie. Dans la maison de
Scarborough, il m'arrivait de me réveiller au milieu
de la nuit et d'aller me regarder dans le miroir pour
vérifier si mon visage était toujours le même. Je son-
dais mon regard, à quelques centimètres de mon
reflet. Pas de distance. Je mesurais l'espace entre
mes yeux, la longueur de mon nez, la largeur de
mon front, la forme de ma bouche.

Mon oncle disparaissait. Et mon reflet me semblait aberrant. J'étais trop volumineuse. Rien n'était
proportionné dans mon corps. Mon ventre n'avait
pas de connexion avec mes hanches. À force d'écouter mon oncle, mon père ou ma mère, j'étais devenue étrangère à moi-même. Je ne parvenais pas, à
leurs côtés, à me voir. Si mon père s'était imaginé
que son cœur était trop faible et trop gros, moi je
voyais un corps devenu océanique dans le miroir.

Tous les matins, à mon réveil, je me demandais
ce qui allait se passer et comment frapperait la
mort. Un matin, mon oncle se réveilla en proie à
l'envie de manger une mangue. Nous habitions
Scarborough, un quartier de Toronto où il est possible d'exaucer ce souhait. Aussi mon père nous
envoya-t-il, Janani et moi, en ville pour chercher ce
fruit et quelques bricoles dont ma mère pourrait
avoir besoin pour décorer le petit autel domestique.

Comme nous passions devant les vitrines des
magasins de la rue, je détournai les yeux. Beaucoup
plus petite que moi, Janani était délicate et avait les

attaches fines. Comparée à elle, je faisais pataude, mal dans ma peau – ce que j'étais. Ma mère était une exception biologique. Dans une famille de femmes corpulentes, elle était maigre, de plus en plus maigre, mais animée d'une vitalité dont j'étais dépourvue. Seule dans ma chambre, je me déshabillais et mesurais l'espace entre mes deux épaules. Je rentrais mon ventre, dont je pinçais les bourrelets ; j'avais des hanches larges, de grosses cuisses. J'avais vingt-deux ans, un âge auquel certaines femmes sont mariées, y compris celles de ma famille.

Vous voulez savoir ce que j'aime en moi ? Mes dents, elles sont parfaites au point que ma mère me recommande de les montrer quand je souris. Quand j'ai enfin compris que mon oncle était à l'article de la mort, j'ai commencé à les serrer dans mon sommeil à en avoir mal à la mâchoire au réveil. De tout temps, j'ai mal dormi. D'ailleurs, j'ai longtemps laissé la lumière allumée la nuit dans la maison de Toronto. Petite, je m'agitais et me retournais tellement que mes parents avaient entouré le lit de barreaux pour que je n'en tombe pas. Ils ne me retrouvaient pas moins par terre certains matins. Si j'allais chercher un verre d'eau, en pleine nuit, je devais passer devant l'autel domestique et j'étais sûre que les dieux – des Lakshmi à bras multiples notamment – me suivaient des yeux tandis que je traversais l'entrée. Alors je retenais mon souffle comme le font les Américains superstitieux devant un cimetière. Une habitude qui s'intensifia au fil des ans, je retenais mon souffle en classe, dans mon sommeil, dans les conversations, si bien que ma mère me demandait parfois à quoi cela rimait.

Qu'est-ce que j'attendais ? Qu'est-ce que je craignais tant de ne pas terminer ? J'étais observée. Les dieux m'observaient, les dieux n'étaient pas contents de moi. Je prenais des bains brûlants, laissant si longtemps l'eau ruisseler sur mon corps que ma mère frappait à la porte pour s'assurer que tout allait bien. Le miroir se couvrait de buée ce qui m'évitait, quand je sortais de la baignoire, d'affronter mon reflet difforme.

Si une boucle folle me gênait, je l'arrachais ou la coupais. Au sommet de mon crâne, près de la raie, il y avait une touffe de cheveux très courts. Contrairement à Harini maltraitée par son mari, je me maltraitais toute seule. Pendant mes rêveries diurnes ou dans mon sommeil, je me grattais parfois et les draps étaient maculés de sang. J'étais une angoissée. Je me lavais les mains à tout bout de champ, effrayée à l'idée de ce qui m'avait touchée ou de ce que j'avais touché. À certains moments, je m'imaginais que, si je restais assez longtemps debout sous l'eau, je parviendrais à me débarrasser de ce qu'il y avait de mortifère en moi et qui allait croissant à mesure que ma connaissance de mon oncle et ma cousine s'approfondissait. J'aurais voulu que mon cœur soit gros ; j'aurais voulu qu'il absorbe le reste de mon corps qui serait ainsi devenu invisible. Voyez-vous, c'est un piège d'écrire sur soi à la première personne quand on est scientifique. Il faut écrire sur sa souffrance sans souscrire à la théorie qu'on est en mal d'empathie. Pourquoi écris-tu cela ? Ne t'en veux pas. Je ne m'en veux pas. Je me contente d'écrire pour comprendre ce qui m'est arrivé, la façon dont j'ai commencé à disparaître alors que je possède tout ce que Kunju, Tharshi, Mayuri, Harini et Uma n'avaient pas. Tantôt je pleurais sans pouvoir m'arrêter, tantôt je riais sans pouvoir m'arrêter. J'ai voyagé dans les contrées obscures de la folie comme Uma avant moi. Enfant, je me berçais pour m'endormir en écoutant l'écho de ma voix dans ma tête. À présent j'essayais de ne rien entendre fût-ce le chant bien-aimé, vif et doux de l'histoire, de crainte d'entendre mon oncle. Dans certains pays, s'immoler par le feu est un acte sacré ; quand les hindous meurent, on brûle leurs corps sur un bûcher funéraire auquel un proche du défunt met le feu. Pendant longtemps, beaucoup de gens souhaitaient que leurs cendres soient dispersées dans la rivière sacrée – le Gange – où les pèlerins se baignent pour se purifier.

Si j'en avais eu le courage, je me serais immolée par un feu rougeoyant qui aurait réduit en cendres ma part de nuit. Il ne s'agissait pas des ténèbres d'Uma. Ma nuit était différente parce qu'elle pouvait être dissipée.

Kumaran : Le dernier échange que j'eus avec mon oncle avant sa mort. Il demanda à me voir seule. Je me rendis dans sa chambre, celle qu'il occupait dans la maison glaciale de Scarborough, et je fermai la porte. Il y faisait froid. Couché, la tête dans les mains comme toujours à la fin de sa vie, il m'accueillit par ces mots :

« S'il te reste la moindre question, il vaudrait mieux la poser. »

Je haussai les épaules.

« Sur certaines familles ? Sur la nôtre ? s'impatienta-t-il. Pose-les. Je suis sur le départ, tu sais.

— À mon avis, tu es un menteur. Je t'ai déjà posé beaucoup de questions. Tu m'as donné un tas de réponses, tu m'as parlé de ta vie, tu m'as assuré ne pas avoir de préjugés.

— Je n'en ai pas.

— Pourquoi devrais-je croire un seul mot venant de toi ? Tes aveux ont vingt-cinq ans de retard. Tu m'as avoué ce que tu avais fait à mon père et tu as pensé que ça suffirait pour que je te comprenne et accepte les raisons de ton attitude, c'est ça ?

— Crois-tu vraiment qu'on ne change pas ? Personne n'aurait pu faire mieux que ce que ton père a fait pour ta mère. S'il lui avait dit où j'étais, elle serait rentrée au Sri Lanka où elle m'aurait cherché. Ce qui aurait été extrêmement dangereux à tous points de vue. L'armée l'aurait soupçonnée de connivence avec les Tigres. Elle aurait pu disparaître ou être tuée. Tu ne serais pas là.

— Toi non plus, constatai-je avant de me rasseoir à son chevet, sur une chaise dont le vinyle se plaqua sur mon dos.

— J'ai tué des gens, déclara-t-il. Le sais-tu ? Dans mon enfance, ta mère et moi partagions tous nos repas, puis j'ai grandi et j'ai tué. Tu comprends ? On m'a formé à ça. Il m'est même arrivé d'en éprouver du plaisir. Malgré cela, ta mère tenait absolument à me retrouver. »

Il cherchait à me choquer ; je refusais de rentrer dans son jeu.

« Qui as-tu tué ? lui demandai-je. Tu t'es gardé d'y faire allusion quand tu m'as raconté l'histoire de ta famille. » Quels que fussent mes efforts pour garder un ton égal et indifférent, je n'en étais pas moins intéressée.

« La femme que je devais épouser, répondit-il. Non pas la mère de Janani, bien que je sois aussi responsable de sa mort en un sens : j'aurais dû protéger la mère de mon enfant. Mais la première, qui s'appelait Meenakshi.

— Je suis au courant, tu m'en as parlé. Tu n'y es pour rien, c'était un attentat suicide, pas un meurtre.

— C'est tout comme puisque je faisais partie du mouvement. Sais-tu ce qu'ils font à ceux qui ne sont pas d'accord avec eux ? Laisse-moi assumer mes actes. Si tu ne parviens pas à me pardonner, que se passera-t-il à la fin de la guerre ? On expulsera tous ceux qui se sont mal conduits ? As-tu une idée de leur nombre ? En réalité, il s'agit de presque tout le monde, Yalini. Presque tout le monde. »

Kumaran avait grandi avec ma mère, qui était – cela crevait les yeux – très heureuse qu'il soit là, qu'il ait choisi de passer les derniers mois de son existence avec nous plutôt qu'à la guerre. Quand je la regardais, je pensais, Ce n'est pas possible, elle ne sait pas ! Elle n'a jamais vu la lettre. Celle où mon oncle insinuait qu'un membre de la famille de mon père mourrait dans le mois si ce dernier persistait à vouloir l'épouser. Au prétexte qu'il n'était pas assez bien pour elle !

Kumaran avait déjà disparu à l'époque où mon père avait demandé ma mère en mariage. Il avait rejoint les Tigres, persuadé qu'ils partageaient ses opinions radicales. Ses rêves d'égalité. Puis il avait appris les fiançailles de Vani, sans doute par l'intermédiaire d'un autre cadre des Tigres, un camarade de classe d'Ariyalai qui avait passé quelques jours chez lui. Dont la famille connaissait celle de mon père.

Kumaran ne prit conscience de son hypocrisie que le jour où il défonça la porte de Neelan, en brandissant la menace des Tigres. Il se détesta alors autant que je le détesterais plus tard. Il se pardonna comme, plus tard, trop tard, je lui pardonnerais. Il avait surgi de l'anonymat l'espace d'un instant devenu tabou dont mon père ne parla jamais à ma mère, même s'il savait plus ou moins où se trouvait Kumaran. Ce qu'elle ignorait.

« C'était il y a bien longtemps, fit observer mon oncle.

— J'aime mon père, lançai-je.

— Comme Janani aime le sien, enchaîna-t-il. Regarde ce qu'elle fait. Étant donné qu'il lui est impossible de rentrer au Sri Lanka, elle a trouvé un compromis par son mariage. À ton avis, si ce n'est pas vraiment ce qu'elle souhaite, à qui cherche-t-elle à faire plaisir ? »

Après la mort de Kumaran, cette phrase me revint souvent à l'esprit. Pourquoi Janani se mariait-elle ainsi ? Enfin, je compris le sens de la remarque de Kumaran. Elle se mariait pour lui. Elle était persuadée que, faute de voir la tradition se perpétuer en pays tamoul, il aurait aimé que sa fille n'y déroge pas.

Ma cousine Janani se marie. Je la trouve ravissante et très mince. Ses longs cheveux ondulés sont tressés de fleurs et d'or. On a appliqué du rouge sur ses lèvres et ses joues. On a souligné ses yeux d'un trait noir, spectaculaire. À son arrivée au Canada, nous nous ressemblions. Maintenant, debout près d'elle, je ne remarque plus le moindre point commun.

Après son mariage, son front sera marqué d'un point rouge comme celui de ma mère. Aujourd'hui, Janani est une déesse : la cérémonie est orchestrée de façon à ce que le futur marié joue le rôle du dieu Shiva et sa promise celui de Parvati, l'épouse de Shiva, aussi appelé le Destructeur. Voici le début de la cérémonie.

L'accueil du futur époux : à l'arrivée du fiancé, les parents de sa future épouse le saluent solennellement. La tōli, une femme de la famille du fiancé, apporte le tāli, le collier de mariage, ainsi que le kurai. Le tāli est la chaîne d'or qui unit les deux promis dans la pureté. Le kurai est le Sari Rouge du

Mariage que le futur époux a choisi pour sa promise. Toute ma vie je l'ai vu sur les photos et films
de famille.

Le fiancé s'approche du mānavairai. Dans le fond
de la salle, j'entends le natasaram, la musique sacrée
qui, durant la cérémonie, accompagne les paroles
du prêtre. Même ma mère est incapable de les traduire car elles sont dans une langue infiniment
plus ancienne que le tamoul : le sanscrit.

Un jour, après la mort de Kumaran et avant le mariage de Janani, je cessai de coucher sur le papier ce qu'il m'avait raconté. Sur lui. Sur quoi que ce soit. Mon cœur se souvint de la rage éprouvée par Kunju lorsqu'elle avait découvert son nouveau visage dans le miroir. Et je m'appropriai cette rage après l'avoir multipliée par dix. Je la recueillis dans mon cœur pour la garder au chaud et en attiser le feu. J'étais furieuse de ce qu'avait fait mon oncle Kumaran et furieuse qu'il soit parti.

Les mariages hindous sont interminables à cause des nombreux rituels de protection et de conjuration destinés à éloigner les forces maléfiques. Se marier équivaut à franchir une étape sur le chemin de l'évolution de l'âme. Au cours de la cérémonie, les mariés dominent l'assistance, ils sont au même niveau que les dieux. Je crois que tout doit rapetisser quand on est dans cette position. Je crois que c'est sûrement dangereux. Je crois que mon âme ne supporterait pas une telle évolution. Quoi qu'il en soit, la purification ou Punya-thānam est la pre-

mière partie de la cérémonie de mariage, un rituel
auquel les fiancés – qui vont partager leur vie sous
peu – procèdent parfois séparément. Le prêtre
asperge le lieu d'eau sacrée tout en demandant la
bénédiction du dieu Ganesh. Un groupe de femmes accomplit le pallikai kattu, un rituel pour éra-
diquer le mal. Comment pourrais-je jamais me
livrer à cela ? Ma part nocturne me paraît irrévocable, hermétique à ces rituels.

Le consentement du futur époux est scellé par le
tarppai, un brin d'herbe sacrée que l'on noue
autour de son doigt : le sangalppam, la déclaration
d'intention. Une cordelette qui a été bénie et
colorée de safran est attachée autour de son poignet : le kappu kattu, destiné également à protéger
du mal. À peine le fiancé s'est-il éloigné du mānavarai que Janani s'en approche pour être purifiée
exactement de la même façon. Je n'ai jamais vu de
cordelette couleur safran au poignet d'un célibataire, sauf d'un prêtre. Le Cœur de la Cérémonie :
le retour de Suthan qui s'assied à côté de Janani.
Lui à gauche. Elle à droite. Le prêtre récite les prières de Shiva-Parvati et Navagraha, pour les protéger
de l'attraction cosmique des neuf planètes. Dans de
nombreuses civilisations, on met les évènements
funestes sur le compte des planètes ; j'ai beau ne
pas en être fière, j'avoue y croire autant que ma
famille.

Homām, le feu sacré, est allumé. Puis l'oncle de
Janani accomplit le dhanikka dhanam à la place de
son défunt père. Il place sa main droite dans celle
de son fiancé ; au creux de ces mains enlacées, il
met une pièce d'or et d'autres symboles de prospé-

rité. Le prêtre déclame leurs noms, les noms de leurs ancêtres, hommes et femmes, en remontant à trois générations. Il demande la bénédiction de ceux qui sont présents ou vivants, de ceux qui sont présents en esprit et, enfin, la bénédiction d'Agni, le dieu du feu – le messager entre la terre et le paradis.

D'après ce que je sais de lui, Agni me donne l'impression d'être un dieu courroucé. Pourtant Janani sourit.

Au fond, Kumaran et moi ne sommes pas si diffé-rents l'un de l'autre. Nous avons l'un et l'autre essayé d'empêcher un mariage et nous avons l'un et l'autre échoué. Regarde ce qu'elle fait, m'avait-il enjoint.

« Janani, lançai-je timidement. J'aimerais te poser une question sur des paroles que ton père a pro-noncées avant de mourir.

— Mon père ? Vas-y.

— D'après lui – c'est ce qu'il sous-entendait – tu te mariais pour lui. Non parce que cela correspon-dait à ton désir mais parce que tu croyais que c'était le genre de mariage qu'il voulait pour toi. »

Elle éclata de rire.

« Il a dit ça ?

— Est-ce vraiment ce que tu désires ? m'obstinai-je.

— Oui. Et tu n'as plus qu'à me croire.

— Rien ne t'y oblige. Tu peux encore annuler. Personne ne t'en voudrait.

— Moi, j'y tiens, affirma Janani. Ne comprends-tu pas ? Je sais ce que mon père a essayé de faire à tes parents et, vois-tu, je tiens autant à mon mariage qu'ils tenaient au leur. Je sais que mon père a invoqué de multiples raisons pour faire avorter leur projet – ton père n'était pas assez bien pour Vani, il n'était ni riche ni brillant – sans compter ses menaces. À mon avis, il bluffait mais ça n'a pas d'importance. Ton père a reçu cette lettre. Devine ce qu'il a répondu ? Vas-y, essaie. Il était persuadé qu'aucun être aimant ta mère ne mettrait cette menace à exécution. Quant à moi, je veux me marier. »

Je n'avais rien à ajouter. Ma cousine recula alors d'un pas pour me dévisager avant de poursuivre : « Écoute-moi, Yalini. Mon père n'essayait pas de te pousser à empêcher ce mariage, il essayait de te prouver que c'était impossible parce que c'était moi qui avais pris la décision. Tout comme ta mère a choisi ton père, je choisis Suthan et, partant, une cause. Libre à toi d'être contre ce genre de mariage, rappelle-toi cependant que la plupart des gens ne ressemblent pas à tes parents. C'est une tradition du pays où j'ai grandi et où tu aurais dû normalement grandir. Si tu cherches à me convaincre de changer d'avis parce que tu crois que ce n'est pas ce que je souhaite, tu es bien naïve. D'ailleurs, tu as beau te sentir à mille lieues de tout ce qui est sri lankais, les autres ne te perçoivent pas ainsi.

» Il ne suffit pas de refuser de participer, il faut choisir son camp », conclut Janani.

Après la mort de mon oncle, je retournai à l'université. Je regagnai le campus, d'où étaient partis la plupart de mes camarades de promotion qui avaient décroché leur diplôme. J'ignorais où avait disparu mon ami – celui avec qui j'avais coupé les ponts après le tsunami. Cela n'avait pas d'importance car je n'étais plus celle qu'il avait connue, ma rencontre avec Kumaran m'avait transformée. Il n'empêche que le souvenir de cet ami me revenait parfois à l'esprit avec une telle netteté que, m'imaginant l'avoir vu, je traversais une rue ou pressais le pas dans un couloir. Mais je me retrouvais en tête à tête avec moi-même. Et j'avais changé.

À présent, quelques mois après la mort de Kumaran, nous sommes de retour à Scarborough, ce quartier de Toronto où vivent beaucoup de Tamouls aux opinions si marquées à propos de ce qu'ils font et de ce qu'on leur a fait. Aucune règle ne m'oblige à leur rendre des comptes, si ce n'est celles de la société et de l'ascendance. Je ne dois rien à personne, mais je suis en proie à une peur incoercible.

Cela n'a rien à voir avec le corps, que ce soit avec le cœur de mon père – autrefois fragile, désormais fort – ou le cerveau de mon oncle consumé par le cancer, ni avec la survie du mien. Il s'agit de prendre position par rapport aux actes de mon oncle et à la promesse qu'il a faite au nom de notre famille d'Occident, afin de pouvoir mourir ici et non là-bas. Il s'agit de savoir s'il est possible de lui pardonner et où me situer sur le terrain mouvant de la guerre. Une non-combattante qui deviendrait complice en gardant le silence.

Même si ce n'est pas encore important, ça le sera un jour. Sous peu. Les gens voudront connaître ma position qu'il me faut clarifier, je ne supporte plus mes doutes. J'envie la certitude de Janani, qui n'a pas changé de camp bien qu'elle ait changé de pays. L'homme que les Tigres lui ont trouvé, celui qui marche autour du feu avec elle, lui conviendra sans doute. Ce qu'elle a fait dans sa prime jeunesse en tant que membre du mouvement, dont elle ne m'a jamais parlé, et dont je me doute, n'effraie pas cet homme capable d'imaginer un avenir commun dans un Sri Lanka de cocagne. Ce pays a beau ne pas exister, la foi de Suthan impressionne Janani. À vrai dire, elle m'impressionne aussi.

Et je la lui envie. J'aurais tellement aimé avoir des convictions inébranlables. Que pensent-ils des hommes tels que mon oncle, dont les proches ont été tués par le gouvernement, ceux dont les proches ont été assassinés par les Tigres ? Comment choisissent-ils d'être pour ou contre lui ? Le peuvent-ils ?

Parfois, je rêve d'être une autre. Lorsque je rêvassais enfant, je regardais mes paumes puis retournais très vite mes mains pour voir si elles avaient changé de couleur. Dans mon rêve, je retourne mes chevilles, mes genoux, mes hanches, mes côtes et mon cou, comme s'ils étaient réversibles ; j'entre dans mon corps et je tords mon cœur, mes poumons ; enfin, je prends conscience d'être une personne de couleur même à l'intérieur. Certains tenteraient de donner un nom à cette couleur, de lui attribuer celui d'un arbre ou d'une épice. Je n'y arrive pas et même si je ne suis pas d'une nature haineuse, je déteste cette incapacité.

Mon père le remarque. Il se rend compte que j'aime tellement ma mère que je voudrais lui ressembler pour éprouver l'amour inconditionnel qu'elle éprouve pour son frère, et que je ne comprends pas pourquoi ça m'est impossible. De même que mon père avait vu un jour le visage généreux de ma mère s'émacier, se réduire à l'essentiel, il voit que je me suis aventurée dans une sphère à laquelle je n'appartiens pas. L'autre monde d'Uma. D'après mon oncle, il ne faut attacher de l'importance qu'à ce que l'on croit, non à ce que l'on dit.

Dans le miroir, mon visage se moque de son innocence passée. Je ne peux pas vous décrire tous les actes que mon oncle a commis. J'ai appris à l'aimer. Je ne sais pas ou ne veux pas savoir les crimes qu'il a perpétrés, bien qu'ils fassent partie de lui. Si je veux m'imaginer une autre, je dois comprendre que j'aurais pu faire ce qu'il a fait, ce que Janani a fait. J'ai suffisamment bien connu mon oncle pour avoir conscience que si les gouvernements traitent des êtres humains de terroristes, c'est pour leur faire perdre la raison, pour les rendre fous. Certains le sont. D'autres ne le sont pas. Et moi dans tout ça ?

Mon père m'observe. Suis-je son cœur ? Il se rappelle la façon dont on écoutait sa poitrine quand il était enfant et la façon dont on lui affirmait qu'il allait mourir. Peut-être se rappelle-t-il sa sœur. Je crois surtout qu'il espère que je vais guérir. Comme son cœur, qui bat toujours malgré les mauvais pronostics.

Kumaran : nul doute qu'il aurait été impressionné. Par la promptitude avec laquelle son gendre reçut l'autorisation du temple hindou le plus proche pour épouser sa fille le jour même, dans son enceinte. Par la façon dont les invités s'y rendirent sans commentaire. Par la vélocité de ma mère qui se procura un nouveau kūrai, cadeau de la propriétaire du magasin. Le soleil et les dieux étaient avec Janani. J'observais ma cousine et laissais partir Kumaran.

Il s'agissait de réfléchir à la façon de faire parce que c'était mon premier enterrement. Le feu est aussi essentiel pour des obsèques que pour un mariage. À Jaffna, les fils du défunt se seraient réunis autour d'un ayer, un prêtre, un Brahman. Celui-ci aurait donné au mutal makan, le fils aîné, un tarppai pour l'annulaire de sa main droite. Selon la coutume, ce geste promeut le fils aîné au rang d'un Brahman habilité à prendre part à tous les rituels du deuil.

L'ayer rassemble les éléments destinés à la cérémonie ; en tamoul, il les consacre à Shiva, Shakti et

Ganesh. Ainsi, le corps et l'âme du défunt s'infusent de qualités divines.

L'ayer allume le feu, où il fait brûler les substances sacrées – manjal, bois de santal et camphre, qui, en se consumant, délivrent des sentiments négatifs : envie, jalousie, méchanceté, mauvaises pensées ou intentions. L'âme du mort transmigre ainsi jusqu'au lieu où n'existe que le bien, d'où le mal est banni.

C'est ce que je dois croire pour mon oncle.

S'il avait eu des fils, s'il avait eu des petits-fils, ils auraient déambulé autour de son corps le temps de sa métamorphose en un dieu. Les femmes les auraient suivis.

Ils auraient sorti le corps de la maison pour le baigner. Le dhobi ou laveur les aiderait à accomplir le rituel. Avec une infinie tendresse, on ferait sa toilette avec de l'arappu – une graine d'arbre –, de l'huile, de l'eau, du lait de vache et de coco. Du miel et du lait caillé.

D'abord, les fils et les petits-fils l'auraient baigné. Comme mon oncle n'en avait pas, le rôle serait revenu à mon père. Puis Janani et moi l'aurions touché trois fois avec le tarppai pour que tout pénètre dans son front. Nous nous serions lavé la main droite. Les hommes auraient ramené Kumaran dans la cour au milieu de la maison où l'aurait attendu le cortège funéraire.

Ainsi, tout un chacun peut devenir un dieu. Il suffit de mourir. L'assistance chante les mānikka vasakkam, les formules du pardon. À la place du fils aîné que mon oncle n'a pas eu, mon père déambule autour du corps trois fois, une guirlande à la main. Il en entoure le cou de mon oncle avant d'appliquer des cendres et du kunkumum, une pâte rouge, sur son front. Voilà, c'est un dieu. Les autres posent des fleurs coupées à ses pieds.

Cependant que l'ayer psalmodie les formules du pardon, on broie du manjal, du citron vert, de la poudre blanche et du kunkumum pour en faire une pâte. Une fois qu'elle est mélangée à de l'eau de rose, mon père en couvre les yeux de Kumaran. Pour la dernière fois, les femmes donnent à manger au corps : du riz. Alors, les plus jeunes des enfants, les petits-fils qu'il aurait pu avoir, tournent autour du corps, tenant à la main des nay pandam, des baguettes incandescentes, afin que l'âme puisse partir.

« Ne pleurez pas », recommande le prêtre

Les hommes portent le corps dehors, laissant les femmes à l'intérieur.

Sur le lieu de la crémation, Chemmani, on sort le corps du cercueil et on le hisse sur le bûcher funéraire. À leur tour, les hommes offrent du riz au défunt. Comme mon père allume le feu, c'est le dernier à le faire.

On a dépouillé le corps de tous ses bijoux en or ou autre. On a enlevé la bague du doigt, la chaîne du cou. Il ne reste rien de permanent. Le prêtre récite une dernière prière tandis que les nenjaam kattai, les premières bûches, sont posées au-dessus du corps afin de l'empêcher de se redresser lorsqu'il brûlera.

Mon père porte sur son épaule gauche le vase funéraire rempli d'eau, de pétrole, couvert de feuilles de cocotier et de manguier. Dans sa main droite, il tient une baguette incandescente. Il fait trois fois le tour du corps de Kumaran, suivi du dhobi. On perce un trou dans le vase pour que l'eau se répande sur le corps.

Mon père s'approche du bûcher funéraire, du côté où le visage de Kumaran apparaît, dépassant de la pile de bois posée sur son torse. Sans regarder, il y met le feu. Sans regarder, il s'éloigne. Les parents en deuil ne regardent pas en arrière.

Terre, feu, eau, éther et vent constituent le corps. La terre reçoit le corps qui s'est consumé dans le feu. Le vent transporte les cendres vers l'eau vive. Et l'éther, l'inconnu, repart vers l'au-delà.

Ensuite, le cortège funèbre revient sur le lieu de la crémation pour le kātārru, rituel au cours duquel il s'agit de faire disparaître la moindre trace du corps. Sur le bûcher, là où il y avait la tête, le buste, les pieds du défunt bien-aimé, on pose des fruits, du miel, du manjal, de l'eau de rose et du riz. Mon père décrit en marchant un cercle autour de l'endroit où se trouvait le corps. Trois fois.

Ils jettent les cendres dans l'eau.

Mon père retourne se laver à la maison. Il a jeûné. Il n'a pas le droit de se rendre au temple pendant un an parce qu'il a allumé le bûcher. Āñtu tivasam.

Ma mère, mon père et moi nous éloignons de mon oncle. Cela prend beaucoup de jours.

Selavu : le lendemain de l'enterrement. Pour la première fois depuis le décès, on prépare des plats pour nourrir le village, la famille et les amis. Le repas ne comporte pas de viande ; ceux qui y prennent part apportent des ingrédients – riz, légumes, parfois une noix de coco – en signe de sympathie pour la famille qui a perdu l'un des siens.

Ettu kalakkiratu : huit jours après l'enterrement, la famille du défunt prépare tous les plats qu'il préférait. Pour mon oncle : curry de pommes de terre, vadai, dosai, sambol à la noix de coco – autant de mets qui ne vont pas du tout ensemble mais qu'il appréciait particulièrement. Dans ma tête, je suis à Jaffna : ma mère dispose le tout dans le coin de la maison où reposait le corps de Kumaran cependant qu'on le préparait pour le bûcher. Elle y avait placé une photo de lui.

Le huitième jour, il revient. Il est à un carrefour, cinq voies s'offrent à lui. Mon père lui tend une assiette, l'appelle trois fois par son nom et laisse l'assiette.

Sans regarder en arrière, mon père retourne à la maison.

Anthiratti : seize jours après la mort de Kumaran, dans ma tête, je suis encore à Jaffna. Nous accomplissons à nouveau les rites funéraires, sans le corps. Nous nous souvenons de lui. Nous nous souvenons de lui. Nous nous souvenons de lui. Nous ne parlons de lui qu'avec amour. Le reste – l'ombre, l'histoire, la guerre – s'est dissipé en fumée.

Son père est mort, il est devenu un dieu. Semblable à un dieu dans deux pays. Il a franchi une ligne de démarcation. Il a changé pour toujours. Janani aussi se transforme. Les invités du mariage bénissent le kūrai que Suthan a choisi pour elle – symbole le plus ostensible de sa métamorphose. Le fiancé lui offre le Sari Rouge du Mariage. Il attend qu'elle revienne dans le mānavarai. Les conversations reprennent au cours de l'entracte qui s'éternise. Tout le monde guette le retour de la fiancée.

Lorsqu'elle revient, vêtue du Sari Rouge du Mariage, c'est le mankalya dhāranam. Incontestablement, elle n'a plus la même apparence ; je ne la reconnaîtrais sans doute pas dans la rue. Le rouge de ses joues et de ses lèvres accentue les angles de son visage d'une grande pâleur. Comme il se doit, elle baisse sagement ses yeux frangés d'immenses cils. Le prêtre tend le tāli[1] au futur époux qui le

1. Chaîne ornée de deux pièces d'or qui représentent le patrimoine de chaque famille.

passe au cou de Janani. Elle le portera toute sa vie comme ma mère. Au second plan, le prêtre psalmodie. Les cloches sonnent. La musique du mariage résonne tandis que les promis échangent des guirlandes, leurs mains timides volettent pour éviter tout contact. Ils sont Mariés. Mariés. Mariés. Lorsqu'ils se rassoient au centre du mānavarai, ils ont échangé leurs places : le marié est à la droite de Janani. Un défilé de jeunes filles, dont je fais partie, fend la foule des invités, leur offrant de la nourriture pour célébrer le moment. Les yeux rivés sur ma cousine, je passe les plats machinalement.

Main dans la main, les nouveaux mariés font trois fois le tour du feu sacré. Certains hindous très pieux se prétendent capables de marcher sur les braises. Je n'en crois rien, personne ne peut marcher dans le feu. Si je revêts un jour le Sari Rouge du Mariage, je veillerai à ne pas m'y risquer.

La bénédiction est la dernière étape du mariage. Les époux ont été spirituellement purifiés. Ils ont reçu des garanties contre le mal et des gages de succès. Ils ont été liés l'un à l'autre par le tāli. Ils ont imité la geste des dieux Shiva et Parvati. La jeune femme a promis fidélité et amour. Le jeune homme s'est engagé à la protéger.

Ils retournent devant le mānavarai, l'autel de mariage orné de fleurs. Tous les invités jettent de l'herbe bleue et du riz pour que le couple entre dans le monde sous les meilleurs auspices.

Aratti : deux femmes que le couple aime le bénissent en faisant aller et venir un plateau garni de bougies aux mèches allumées devant eux. Puis les invités s'alignent pour féliciter et bénir individuellement les époux. C'est la fin de la cérémonie. Le début du Mariage.

La rencontre entre une jeune fille et un pays est aussi un Mariage Arrangé, non un décret des étoiles mais le fruit d'une décision, la mienne. Une jeune Tamoule du Sri Lanka – grande, mince, cultivée –, née aux États-Unis d'Amérique. Un père médecin. Une mère maîtresse d'école. Une vie régulière. Je ne suis pas obligée de fuir mon pays pour être hors de danger. Mes parents l'ont fait pour moi, un acte d'amour d'une telle ampleur que la réciprocité est inconcevable. Certains quittent leur conjoint pour leurs enfants. Par leur départ, mes parents ont, sans le savoir, rendu leur rencontre et, partant ma naissance, possibles. Un jour, grâce à eux, grâce à leur exil, je pourrai retourner dans ce pays qui ne ressemblera pas à celui qu'ils ont connu. Pour l'heure c'est un pays où règne le mensonge. Personne n'assume la responsabilité des obus qui tombent. Des gens disparaissent et les familles en deuil n'ont aucun corps à enterrer.

Dans ma mémoire, ce n'est pas le parfum de la fleur d'oranger qui est associé aux mariages mais la funeste odeur du feu, qu'on appelle hūmam. Pour Kunju, cependant, le feu signifia l'impossibilité du mariage ; pour Kalyani, la perte de sa maison. Toute ma vie, un film, une pièce de théâtre, une histoire s'est conclue par la phrase : Elle s'est Mariée. Depuis, elle est heureuse. Il ne s'agit pas d'un vrai mensonge, plutôt d'un mensonge par omission. L'histoire ne peut se terminer systématiquement par un mariage, tantôt elle va plus loin, tantôt on vit seul. Peut-être est-ce ce que l'avenir me réserve. Peu importe, j'ai appris à me contenter de mon sort, si imparfait soit-il. J'ai appris qu'il est des jours où l'obscurité est impénétrable. Nos vies commencent sans fanfare et s'achèvent sans crier gare.

Quel que soit leur éloignement, il arrive à mes parents et leurs familles d'avoir la nostalgie d'une époque où ils connaissaient l'ordre des choses. La vie leur apporte peu de surprises : la naissance, l'enfance, le mariage. Moi, je ne compte pas me marier sous peu, en dépit des regards spéculatifs de membres de ma famille qui, privés de certitudes, s'inquiètent pour l'avenir de ma génération. L'absence de précédent et la perspective que certains parmi nous ne suivront pas le même chemin qu'eux les désarçonnent. Nous ne sommes pas tirés d'affaire, or ils aimeraient que la question soit résolue. Aussi les quittons-nous l'estomac barbouillé, le cœur incertain. Nous avons beau être les enfants de nos parents, nous nous construisons dans des pays où les règles du Mariage – Mariage d'Amour, Mariage Arrangé, ainsi que les variantes entre ces deux pôles – ne s'appliquent pas toujours.

Remerciements

Un certain nombre de gens m'ont aidée et soutenue dans l'écriture de ce livre.

Au Sri Lanka :
Je souhaite remercier les personnes et les institutions qui ont facilité mes recherches. Pour leur sécurité, on m'a recommandé de ne pas citer leur nom : ils se reconnaîtront. La plupart se sont mis en quatre pour me parler et m'aider à trouver les ouvrages et documents dont j'avais besoin. Les mots me manquent pour leur exprimer toute ma gratitude.

Je suis particulièrement redevable aux compagnons de mes deux derniers voyages : ma cousine Meera et ses généreux amis. Mon père.

Aux États-Unis :
Dans le Maryland : mes professeurs. Jan Bowman, Shellie Berman, Faith Roseman, Celia Harper, Wren Abramo, Suzanne Coker, et feu Renee Malden.

À l'université d'Harvard : le département d'anglais de 1998 à 2002, spécialement mon premier professeur de fiction, Patricia Powell – et bien sûr, mon directeur de thèse, Jamaica Kincaid, sans les encouragements de qui je n'aurais jamais commencé *Le Sari rouge*, et dont la rigueur et l'attention méticuleuse sont des exemples dont je ne cesse de m'inspirer.

À l'Atelier d'Écriture de l'Iowa, mes professeurs : feu le grand Frank Conroy, Ethan Canin, James Hynes, Elizabeth McCracken, James Mc Pherson, Chris Offutt, ZZ Packer et Marilynne Robinson. Je remercie également Lan Samantha Chang et Connie Brothers. Grâce à West et Jan Zenisek, l'atelier est plus qu'un lieu de travail, on s'y sent comme chez soi. Elizabeth McCracken a fait des commentaires sur une version précédente de ce livre, ainsi que les étudiants de son cours sur le roman de l'automne 2003. Des remerciements particuliers à Roderic Crooks, Yiyun Li, Tim O'Sullivan, Tracy Manaster, Jody Caldwell, Becky Lehmann. Et à Miriam Gilbert, mon professeur d'anglais.

À l'Académie Phillips Exeter, je remercie le département d'anglais 2005-2006 ; la société George Bennett qui m'a fait bénéficier de beaucoup plus que d'une chambre individuelle pour un an ; Elias Kulukundis, Charles et Joan Pratt, Maggie Dietz et Todd Hearon ; les étudiants et la faculté Phillips Exeter qui aiment lire et écrire ; Julie Quinn et Michael Golay, qui furent des voisins charmants ; Vivian Komando ; tous mes amis d'Exeter.

À l'université de Columbia, je remercie le professeur Alisa Solomon et mes camarades de la section Art et Culture ; les étudiants et professeurs de maîtrise. Le professeur G. Freeman, dont les conseils pour un sujet de thèse ont indirectement influencé ce livre. Le professeur D. Samuel Sudanandha, qui m'enseigna les bases de la langue tamoule. Les étudiants diplômés d'anthropologie sri lankaise ; le grand anthropologue sri lankais E. Valentine Daniel. Je tiens à souligner l'aide apportée par Kitana Ananda, une nouvelle et bonne amie, qui a lu une ébauche de ce livre. Mythri Jegathesan, mon amie de toujours, a droit à toute ma gratitude pour avoir lu de multiples jets du roman, m'avoir fourni des éléments du rituel funéraire, enfin, m'avoir aidée pour la transcription des mots – il va de soi que s'il reste des erreurs, c'est de mon fait. Je remercie Ravindran Sriramachandran et Kaori Hatsumi, dont les connaissances m'ont enrichie et ont, par conséquent, enrichi le livre. Et le professeur Sreenath Sreenivasan.

Je remercie les communautés tamoules du Sri Lanka que j'ai fréquentées et mes proches, disséminés de par le monde. Je suis notamment reconnaissante envers mes amis et les membres de ma famille de New York, du Connecticut, du Maryland, de Washington D.C., de Lancaster en Californie, de Toronto au Canada, de Munich en Allemagne, de Paris en France, d'Australie et de Londres en Angleterre.

Mes camarades artistes au sein de la diaspora sri lankaise.

Mes amis, en particulier Michael Horn, Vicky Hallet, Stacy Erickson, Matt McInnis. Jonnelle Lonergan qui a monté mon site internet.

La famille Fallows, surtout Jim et Tad.

Mathu Subramanian, un être d'exception et un formidable écrivain.

Kate Currie et Emilie Halpern, qui ont toutes deux lu et fait des commentaires sur les différents jets du livre, car elles vivaient avec moi à l'époque où j'ai commencé à l'écrire. Joyce K. McIntyre, Ross Douthat, Catherine Cafferty et James Renfro qui, à différentes étapes, ont tous lu et fait des commentaires sur mon livre.

Suketu Mehta. Preston Merchant, le photographe.

Mes amis du passé et du présent, à l'Harward Crimson.

Stephanie Cabot, mon agent à la Gernet Company et mon amie. Elle est toujours à mes côtés et son expérience et son intelligence me sidèrent. Chris Parris-Lamb, également à la Gernert, dont le regard perçant est inestimable pour moi.

Becca Shapiro de Random House, mon amie depuis vingt-trois ans et mon éditrice, une vraie chance pour moi car ses suggestions ont beaucoup contribué à structurer le livre. Quand je pense que notre collaboration intellectuelle et créative a commencé au jardin d'enfants, c'est extraordinaire ! La famille Shapiro.

Ma belle-sœur, une femme stimulante. Mon incroyable frère. Mes parents, toujours les meilleurs.

Ce volume a été composé par Compo 2000
Impression réalisée par CPI BRODARD ET TAUPIN
La Flèche
en septembre 2009

Pour l'éditeur, le principe est d'utiliser des papiers composés de fibres naturelles, renouvelables, recyclables et fabriquées à partir de bois issus de forêts qui adoptent un système d'aménagement durable.

Imprimé en France
Dépôt légal : septembre 2009
N° d'édition : 02 – N° d'impression : 54383